Joa

Fabi der schnellste Rechtsaußen der Welt

Laurenz

*Joachim Masannek,* geboren 1960, studierte Germanistik und Philosophie sowie an der Hochschule für Film und Fernsehen. Er arbeitete bereits als Kameramann, Ausstatter und Drehbuchautor für Film-, TV- und Studioproduktionen. Daneben ist er Vater der beiden *Wilde Kerle*-Mitglieder Marlon und Leon und Regisseur der Filmabenteuer um die Wilden Kicker. Mehr Informationen zu den *Wilden Fußballkerlen* unter www.diewildenkerle.de. Bei dtv junior sind von den *Wilden Fußballkerlen* die Bände 1–10 erschienen:
siehe unter www.dtvjunior.de.

# Joachim Masannek

# Die Wilden Fußballkerle

## Band 8

## Fabi der schnellste Rechtsaußen der Welt

Mit Illustrationen von Jan Birck

Deutscher Taschenbuch Verlag

Ungekürzte Ausgabe
In neuer Rechtschreibung
5. Auflage Mai 2006
2005 Deutscher Taschenbuch Verlag GmbH & Co. KG,
München
www.dtvjunior.de
© 2003 Baumhaus Buchverlag GmbH, Leipzig und
Frankfurt am Main

TM & © 2001 dreamotion media GmbH
Umschlagkonzept: Balk & Brumshagen
Umschlaggestaltung nach einer Idee von Jutta Hohl
Gesetzt aus der Plantin 12/15˙
Gesamtherstellung: Druckerei C. H. Beck, Nördlingen
Printed in Germany
ISBN-13: 978-3-423-70915-6
ISBN-10: 3-423-70915-4

# Inhalt

# Geheimhallentraining
## vom Feinsten

Die Magische Furt glitzerte im Wintersonnennachmittagslicht. Sie führte direkt in den Wilden Wald mit seinen dunklen Schluchten. Dort erstick-

te der Schnee jedes Geräusch. Mannshoch türmte er sich gegen die Stämme der Buchen und unter seiner Last neigten sich ihre Äste bis auf den Boden hinab. Es war absolut still: und in dieser Stille schlängelte sich ein Trampelpfad verloren durch die zerklüfteten Felsen. Er bahnte sich seinen Weg durch den Wald, bog vor unseren Rädern mit den Motorradscheinwerfern und den extrabreiten Hinterradreifen haarscharf nach links, überquerte die Gespensterbrücke und zog durch das Fauchende Tor. Ja, und selbst das war in der Kälte verstummt. Doch die Geheimhalle, die dahinter lag, schien vor Leben zu bersten.

DABAMM! Und KAWUMMS! krachte es aus ihr heraus. Ja, denn in ihr absolvierten wir, die *Wilden Fußballkerle e.W.*, an diesem Freitagnachmittag unser letztes Training vor der Qualifikation. Der Qualifikation für die Hallen-Stadtmeisterschaft, an der nur die besten 20 Mannschaften von München teilnehmen durften. Und das sage ich euch, ich, Fabi, der schnellste Rechtsaußen der Welt: Wenn wir nicht zu diesen 20 Fußballmannschaften gehörten, war ich die längste Zeit ein *Wilder Kerl*. Davon war ich an diesem Freitagnachmittag fest überzeugt. Dafür legte ich meine beiden Beine ins Feuer. Meine Beine und meine Seele. Das müsst ihr mir glauben. Denn ich wusste noch nicht, dass es bald etwas anderes geben würde.

Etwas, das mich noch mehr interessierte. Etwas, das mir noch wichtiger war als meine Freundschaft zu Leon und neben dem selbst die *Wilden Fußballkerle* verblassten: ja, so wie die Sterne verblassen, wenn die Sonne aufgeht.

DABAMM!

Maxi »Tippkick« Maximilian zog ab. Mit seinem Trippel-M.-S., den er seit der Horrorgruselnacht am letzten Sonntag besaß, drosch der Mann mit dem härtesten BUMMS auf der Welt die Kugel auf das Tor in der Geheimhalle zu. Dort stand Markus zwischen den Pfosten. Der Unbezwingbare fixierte den Ball wie der Bordcomputer eines intergalaktischen Fighters:

Außenhaut: rund, stahlhartes Leder
Geschwindigkeit: Mach, null Komma neun
Temperatur: Magma hoch drei im Quadrat
Antrieb: Mega-Mörser-Monster-Schuss GTI
  Wild
Einschlagzeit: null Komma achtundzwanzig
  Sekunden

Markus' Knie begannen zu beben. »Krake!«, schoss es ihm durch den Kopf. Der Keeper der *Unbesiegbaren Sieger* hatte sich angesichts eines solchen Geschosses am letzten Sonntag flach auf den Dielenboden geworfen und sich wie ein Weichei unter seinen Tentakelarmen versteckt. Heiliger Muckefuck! Aber trotzdem hatte niemand gelacht. Alles andere wäre Selbstmord gewesen. Ja, genau! Denn nur einen halben Atemzug später hatte der Ball das Tornetz zerfetzt, die Bretterwand der Geheimhalle durchschlagen und eine einen halben Meter dicke Tanne im Wilden Wald auf der anderen Seite der Gespensterbrücke gefällt.

KAA-WUMMMS!

Die Knie des Unbezwingbaren bebten. »Alles andere wäre Selbstmord gewesen!«, lief es ihm heißkalt die Wirbelsäule hinab. Dann schrie er auf: »Dampfender Teufelsdreck!«

Er ballte die Fäuste. Seine Muskeln spannten sich an und mit angewinkelten Beinen warf er sich gegen das Leder.

DABAMM!

Die Halle erbebte. Die Zeit stand für anderthalb Herzschläge still. Für uns sah es aus, als stoße eine Porzellanfigur mit einem Vorschlaghammer zusammen. Markus schien unter der Wucht des Mega-Mörser-Monster-Schusses zu bersten.

»Nein! Ich denk nicht dran!«, schrie der Unbezwingbare auf und er blieb Sieger.

Krachend prallte der Ball von seinen Fäusten ins Spielfeld zurück, donnerte gegen die Wand und landete glücklich bei Juli »Huckleberry« Fort Knox, der Viererkette in einer Person. Der wurde sofort von Deniz, der Lokomotive, bedrängt und schob den Ball in letzter Sekunde nach links. Doch Julis Pass war zu lasch. Er kullerte über die Dielen.

Jojo, der mit der Sonne tanzt, preschte heran. Er würde Markus ein zweites Mal prüfen und der hatte nicht den Hauch einer Chance. Er krümmte sich immer noch auf dem Boden. Da streckte sich Marlon, die Nummer 10, grätschte, kratzte Jojo

den Ball vom Außenriss und schoss ihn blind und planlos nach vorn.

Ja, blind, absolut blind und heimatlos rollte der Ball durch die Halle auf die rechte Außenlinie zu. Dort wartete Vanessa auf ihn. Die Unerschrockene würde den nächsten Angriff gegen uns starten. Doch sie wartete einfach zu lang. Zu lang für mich, für Fabi, den schnellsten Rechtsaußen der Welt. Denn jetzt trat ich an. Die Sohlen meiner Hallenfußballschuhe rauchten und qualmten. Und bevor das wildeste Mädchen diesseits des Finsterwaldes ihren Fehler erkannte, katapultierte ich das Leder schon gegen die Wand, spielte Doppelpass mit der Bande, ließ sie und Felix, den Wirbelwind, gleichzeitig stehen und sauste im spitzen Winkel auf das Tor der anderen zu.

»Super, Fabi!«, rief Leon. Der Torjäger und Slalomdribbler sprintete los. »Ich bin absolut frei!«, rief er und streckte die Arme am Elfmeterpunkt hoch.

Doch ich hörte ihn nicht. Ich sah nur Rocce, den Zauberer. Er stand im Tor des Gegners und verkürzte den Winkel. Trotzdem zog ich im nächsten Augenblick ab.

DABAMMM!

Turbo-Torpedo-hart schoss die Kugel an Rocces gestreckten Fäusten vorbei und prallte, weil nichts anderes möglich war, gegen den Winkel.

»Kreuzkackendes Kümmelhuhn!«, schimpfte Juli »Huckleberry« Fort Knox. »Fabi! Leon war frei!«

»Ja, Sakra-Rhinozerospups!«, raufte sich Raban, der Held, seine knallroten Haare.

Doch da stieg Leon schon hoch. Der Torjäger der *Wilden Fußballkerle e. W.* schraubte sich in schwindelnde Höhen. Er holte mit dem linken Bein Schwung, ließ das rechte wie einen Dampfhammer folgen und versenkte den vom Kreuzeck zurückgesprungenen Ball mit einem astreinen Weltklasse-Salto-Mortale-Fallrückzieher im Netz.

SAPP-DUMPF-KAWENNNG!

»Beim Santa Panther im Raubkatzenhimmel!«, raunte Rocce, der Zauberer, der Sohn des brasilianischen Fußballgotts von den *Bayern*, in atemlosem Respekt.

»Ja! Heiliger Muckefuck! Das macht dir keiner nach!«, lachte ich mehr als erleichtert, denn in diesem Moment pfiff Willi, der beste Trainer der Welt, das Spiel ab.

»Leon! Das war unser Sieg!«, freute ich mich und lief auf meinen besten Freund zu.

Der lag auf dem Boden und grinste mich an.

»Alles ist gut!«, sagte er und hob seine Hand.

»Ja, verflixt! Solange du wild bist!«, erwiderte ich.

Dann klatschten unsere Hände zusammen und ich zog ihn hoch. Arm in Arm trabten wir in die Mitte der Halle und setzten uns um Willi herum in den Kreis.

»Hey, Den-ha-heniz!«, foppte ich den Türken.

»Wir ha-haben euch weggeputzt!«

»Ich la-hache mich tot!«, konterte Deniz, die Lokomotive.

»Ein Tor habt ihr geschossen. Ein einziges Tor!«, ärgerte sich Vanessa und blitzte mich an.

»Da hast du verflixt noch mal Recht, Nessie!«, grinste ich. »Doch leider hat das gereicht. Ihr habt nämlich überhaupt nicht getroffen!«

»Ja, genauso wie du!«, zischte Vanessa. »Also bild dir nicht so viel darauf ein. Das Tor hat Leon gemacht!«

»Ja, und was für ein Tor!«, lachte ich. »Das geht in die Geschichte der Geheimhalle ein. Dafür leg ich meine Beine ins Feuer.«

»Was du nicht sagst!«, raunte Willi und sah mich herausfordernd an. Dann richtete er seinen Blick in die Runde. »Seid ihr jetzt fertig? Darf ich jetzt auch mal was sagen?«

Sofort war es still. Heiliger Muckefuck! Und noch bevor Willi seine Baseballmütze in den Nacken schob, wussten wir: Jetzt wird es ernst!

# Fußball allein reicht nicht aus

»Vanessa hat Recht!«, sagte Willi pupstrocken. »Leons Tor war einfach nur Glück.«

»Ha! Was hab ich gesagt!«, triumphierte Vanessa. »Ihr habt uns nicht weggeputzt!«

»Nein, das ha-habt ihr nicht!«, freute sich Deniz. »Ihr war-hart nur das blinde Huhn, das über den Ma-haiskolben fällt!«

Ich ballte die Fäuste. Leon und ich waren die goldenen Twins, die Sturm- und Tormaschinerie der *Wilden Kerle*. So etwas sagte niemand zu uns. Niemand! Doch Willi kam mir zuvor.

»Halt! Einen Moment! So hab ich das nicht gemeint. Deniz, Vanessa! Leon hatte das Glück, das euch fehlte und auf das ihr euch trotzdem verlassen habt!«

»Ha!«, grinste ich. »So ein Pech aber auch.«

»Verfluchte Hacke, Fabi!«, fuhr mir Willi über den Mund. »Das gilt für euch alle! Ihr habt heute alle nicht Fußball gespielt, sondern der Fußball mit euch. Und das, das sag ich euch, sah überhaupt nicht wild aus. Das sah aus wie ein Schwanz, der mit dem Hund wedeln will. Muss ich noch deutlicher werden?«

Nein. Heiliger Muckefuck! Das musste er nicht. Wir starrten bereits auf unsere Füße. Ja, und Willi hob die Mütze vom Kopf und wischte sich über das Haar. Das machte er immer, wenn er so etwas sagen musste. Er hasste es genauso wie wir.

»Maxi«, seufzte Willi, »dein Trippel-M.-S. ist wirklich der Hit. Aber er war nicht platziert genug. Marlon und Juli haben die Winkel verkürzt. Du hättest abspielen müssen. Deniz stand frei in der Mitte und Jojo auf links. Ihr wart drei gegen zwei.«

»Ach ja, und wennschon!«, spottete ich. »Markus hätte heut alles gehalten. Verflixt! Das war eine Jahrhundertparade von dir!«

Ich schlug dem Unbezwingbaren auf die Schulter und Willi stimmte mir zu.

»Da hast du ausnahmsweise mal Recht!«, grummelte er. »Aber das war auch schon alles. Markus, du musst das Vorausdenken lernen. Sonst kriegst du deine Faustabwehr sofort um die Ohren geknallt. Der Ball muss zum freien Mann, verstehst du! Und das war Juli auf gar keinen Fall. Er wurde von Deniz gedeckt und Marlon von Jojo. Die beiden haben die Kugel überhaupt nicht aus dem Strafraum gekriegt.«

»Und ob ich das hab!«, protestierte Marlon. »Mit meiner Vorlage hat Fabi unsern Konter begonnen.«

»Marlon, wenn das eine Vorlage war, heiß ich Benjamin Blümchen!« Willi runzelte die Stirn.

»Und ich Bibi Blocksberg!«, gluckste Vanessa.

»Du bist ganz still!«, stülpte ihr Willi den Dämpfer wie eine Tüte über den Kopf. »Du hast gepennt! Wenn du dem Ball auch nur ein paar Schritte entgegengegangen wärst, hätte ihn Fabi niemals gekriegt. Ja, und du, Fabi«, erstickte er meine Schadenfreude im Keim, »du hattest nichts Besseres vor, als den Fehler von Maxi zu wiederholen! Obwohl Leon frei stand, hast du blind draufgehalten. Verflixt! Aus so einem Winkel schießt niemand ein Tor.«

»Das war auch nicht nötig!«, trotzte Leon verschmitzt und legte seinen Arm um meine Schulter. »Das hab ich für Fabi getan!«

»Aber nur, weil die anderen zugeschaut haben! Ihr habt alle geschlafen, versteht ihr mich? Und wenn ihr bis Sonntag nicht aufgewacht seid, dann könnt ihr die Qualifikation für die Hallen-Stadtmeisterschaft vergessen.«

Das saß. Jetzt waren wir still. Beleidigt zupften wir an unseren Fußballschuhen herum und Willi ließ uns dafür eine Ewigkeit Zeit. Es war nicht zum Aushalten, das sage ich euch! Solche Situ-

ationen hasste ich wie die Pest! Ich wollte zu den Siegern gehören. Nicht zu den Losern!

»Danke, Willi!«, schimpfte ich deshalb. »Danke für deine grandiose Motivation!«

Doch danach war es noch stiller. Willi sagte kein Wort. Er wartete geduldig, bis sich die Gemüter beruhigten. Erst dann flüsterte er: »Hey! Aufgepasst! Jetzt hört mir mal zu!«

In null Komma null Nanosekunden hingen wir an seinen Lippen.

»Ja, so ist es gut. Jetzt seid ihr hellwach. Das seid ihr doch, oder?«

Wir nickten kurz. Wir trauten uns noch nicht mal zu zwinkern.

»Gut. Und so sollt ihr ab heute jeden Tag leben. Ihr seid alt genug, hört ihr. Fußball allein reicht für euch nicht mehr aus!«

Dieser Satz schnitt uns wie eine Rasierklinge ins Fleisch.

»Was meinst du damit?«, stöhnte Felix. »Sollen wir ab heute Minigolf spielen?«

Willi stutzte. Aber er lachte nicht. Er blieb absolut ernst.

»Wenn ihr wollt!«, schockte er uns. »Ja, und Billard und Tennis, das ist mir egal. Ihr sollt Bücher lesen, Filme schauen, Spiele spielen wie Mensch-ärgere-dich-nicht, Mühle und Skat. Ja, und am besten macht ihr sofort zwei Sachen auf einmal. Achtet darauf, was hinter euren Köpfen passiert, während ihr mit eurem Vordermann redet. Lest ein Buch und zählt dabei alle Autos, die an eurem Zimmer vorbeifahren. Spielt Skat oder Doppelkopf und merkt euch jede Karte, die ausgespielt wurde.«

»A-haber das kann ich nicht!«, beschwerte sich Deniz. »Will-ha-hilli, das ist unmöglich!«

»Und ob du das kannst!«, wich Willi um keinen Millimeter zurück. »Du machst es doch jeden Tag in der Schule: Wenn du Frau Hexerich zuhörst und gleichzeitig ans Training im *Teufelstopf* denkst. Dann spürst du doch auch, wenn sie dich hochnehmen will, und dann weißt du, wenn sie dich urplötzlich fragt, die richtige Antwort. He, oder irre ich mich?«

Deniz grinste verschmitzt und verlegen zugleich.

»Siehst du, was hab ich gesagt?«, lächelte Willi zufrieden. »Und genauso wie du jedes Wort von Frau Hexerich hörst, wie du ihre Bewegungen spürst und ihre Gedanken erahnst, obwohl du doch gar nicht im Klassenzimmer bist, weil du an was ganz anderes denkst, genauso wirst du die Finten, Tricks und Spielzüge deiner Gegner durchschauen. Dann spielt keiner von euch mehr einen blinden Pass. Dann schaut keiner dem Gegner nur zu und überlässt ihm wehrlos den Ball. Dann seid ihr immer um einen Deut schneller, um einen Schritt eher am Ball und um einen Trick besser.«

»Wow!«, raunten wir, denn jetzt hatten wir es alle kapiert.

»Genau«, nickte Willi. »Und deshalb lauft ihr ab jetzt mit offenen Augen und Ohren herum. Ihr werdet neugierig sein und alles probieren. Selbst wenn es ein Essen ist, was eure Mutter euch kocht und das ihr noch nie im Leben gekostet habt, weil es so eklig aussieht. Ihr werdet neugierig sein, habt ihr gehört? Denn sonst tretet ihr auf der Stelle. Ruht euch nie aus! Sucht die Herausforderung! Traut euch das zu, was ihr noch nicht könnt! Denn eins sage ich euch, und das schreibt ihr euch, wenn ihr wild bleiben wollt, gefälligst hinter die Ohren: Nichts von dem, was jetzt ist, ist euch sicher. Nichts davon bleibt und nichts ist für immer, wenn ihr euch einfach nur darauf verlasst!«

Willi holte tief Luft. So lange und so ernst hatte er noch nie zu uns gesprochen. So etwas mochte er nicht. So etwas machte ihn eher verlegen. Deshalb räusperte er sich mindestens dreimal, bevor er aufstand.

»Das war's!«, murmelte er. »Wir sehen uns morgen um zehn. In der Dreifachhalle neben der Volksschule. Und dann will ich, dass ihr euch für die Hallen-Stadtmeisterschaft qualifiziert. Ist das klar?!«

Er lachte und zwinkerte uns ein letztes Mal zu. Dann hinkte er zum Geheimhallenausgang. Doch wir blieben sitzen. Wir rührten uns keinen Zentimeter vom Fleck. Wir konnten es nicht. Willis Worte hatten uns einfach erschlagen. Da drehte sich unser Trainer noch mal zu uns um.

»Hey, was ist?«, fragte er mehr als verwundert. »Ich dachte, ihr seid die *Wilden Fußballkerle*, und die sind, soweit ich jedenfalls weiß, die beste Fußballmannschaft der Welt!«

Da sprangen wir auf und im selben Moment machten wir das, was Willi von uns verlangte. Felix zählte seine Atemzüge, während er seine Jacke anzog, Jojo die Bretter der Außenwand. Und Rocce nannte die Namen seiner zwei Dutzend Cousins und Cousinen. Es war gar nicht so schwer. Nur Joschka, Julis kleiner Bruder, musste auf dem Weg zu unseren Rädern dreimal zurücklaufen, weil er beim Zählen der Schritte, die er bis dorthin benötigte, jedes Mal durcheinander geriet.

»Extra touristische Tellergans!«, schimpfte er. »Was soll dieser Mist?«

»Intelligenz!«, verbesserte ihn Juli. »Du meinst extra touristische Intelligenz. Aber das kapierst du vielleicht, wenn du zählen kannst, Brüderchen!«

»Das habe ich!«, schimpfte Joschka. »Und ich hab auch kapiert, wie man zählt!« Damit schlug er Juli seine Faust gegen das Kinn. »Das war die Eins. Glaubst du mir jetzt oder soll ich noch weiter zählen?«

»Bitte!«, lachte Vanessa. »Ich bitte dich, Joschka!«

Dann lachten wir alle. Selbst Juli prustete los, obwohl sein Kinn mächtig schmerzte. Nur einer von uns lachte nicht mit. Er rutschte ganz nervös auf dem Sattel seines Fahrrads herum.

»Hey, was ist? Leon, was ist mit dir los?«, fragte ich und lachte noch immer.

»Ich will dir was zeigen!«, sagte er. »Komm!«

Er schaute mich noch einmal an, riss sein Fahrrad herum und fuhr los.

# Auf fremdem Gebiet

»Hey, Leon! Wo willst du denn hin?«, rief ich und bekam zum dritten Mal keine Antwort.

Stattdessen spritzte mir der extrabreite Hinterradreifen seines Fahrrads den Schnee vom Wilden Wald ins Gesicht, dann das Wasser der Magischen Furt, die Kiesel des Flussufers auf der anderen Seite und den gefrorenen Schneematsch aus den Straßen der Stadt. Doch als ich erkannte, wohin Leon wollte, platzte mir die Geduld. Ich trat in die Pedale und schloss zu ihm auf.

»Das reicht, Leon! Das reicht! Ich will sofort wissen, wohin wir fahr'n!«

Aber Leon sah mich noch nicht einmal an. Er gab Gas und dann sprang er über einen Schneehaufen, den er als Rampe benutzte, über die Schranke hinweg, die den Weg zum Finsterwald normalerweise versperrte.

»Leon! Halt sofort an!«, schimpfte ich und sprang trotzdem hinter ihm her.

Wir rasten durch den Finsterwald, hüpften über

Baumstämme und -wurzeln, wichen Schneever-
wehungen aus, rauschten durch die alte zerfallene
Ruine, und erst am Brennnesselgraben hielt Leon
an.

Ich stieg in die Bremsen und starrte auf die
Steppe hinaus. Hinter uns stürzte die Sonne in die
Tannen hinein und ließ am anderen Ende der Welt
nur einen Lichtschleier stehen. Dort hinten, am
Horizont, streckten sich die Graffiti-Burgen in den
Himmel empor und rissen wie eine gigantische
Kralle, so als wollten sie den Tag für immer ver-
nichten, die Nacht auf die Steppe hinab.

»Heiliger Muckefuck!«, raunte ich.

Zum dritten Mal stand ich jetzt an dieser Stelle und zum dritten Mal hatte ich Angst. Im letzten Jahr waren Leon, Vanessa, Marlon und ich zu den Graffiti-Burgen gefahren, um Juli »Huckleberry« Fort Knox, die Viererkette in einer Person, aus der Gewalt des Dicken Michi zu befreien. Ja, und vor ein paar Tagen erst hatte ich mir hoch und heilig geschworen, dass ich ein letztes Mal dorthin zurückkehren würde. Vor ein paar Tagen, als wir den Dicken Michi und seine *Unbesiegbaren Sieger* als Obermonster für eine Horrorgruselnacht in der Geheimhalle engagierten. Der Nacht, in der Maxi »Tippkick« Maximilian seine Stimme und den Trippel-M.-S. wiederfand. Ja, und auch wenn der Dicke Michi und seine Mistkerle seit dieser Nacht unsere Freunde waren, hatte ich Angst. Ich hatte hier überhaupt nichts zu suchen. Das hier war kein *Wilde Kerle*-Land mehr. Das hier war fremdes Gebiet. Das lag in der Verbotenen Zone.

»Heiliger Muckefuck!«, wiederholte ich mich.

»Hey! Hoppala! Hast du etwa Angst?« Leon grinste mich an.

»Ich?«, schluckte ich. »Wie kommst du darauf?«

»Weiß nicht!«, grinste Leon. Dann wurde er ernst. »Ich dachte. Nun ja ... mir geht es hier immer so!«

»Ach ja? Und warum sind wir dann hier?«, fuhr ich ihn an.

»Das hab ich dir doch schon gesagt!«, antwortete Leon. »Ich will dir was zeigen. Komm mit!«

Er stemmte sich in die Pedale.

»Und merk dir den Weg!«, rief er zu mir zurück.

Mir blieb nichts anderes übrig als ihm zu folgen. Wir fuhren immer weiter in die Steppe hinein. Wir ließen die Graffiti-Burgen hinter uns liegen, und als es stockfinster war, überquerten wir den Damm, auf dem die alten Strommasten standen. Hier hatte Juli in der einzigen Nacht, in der er zu den *Unbesiegbaren Siegern* gehörte, seine Aufnahmeprüfung bestanden. Verflixt! Und hier musste irgendwo das Räubernest sein, in dem der fette Cousin des Dicken Michi regierte. Ich kam mir vor, als würde ich mit verbundenen Augen durch eine Bucht tauchen, in der sich Haifische und Baracudas zum Wettjagen trafen. Und mein Herz klopfte den passenden Kannibalen-Schrumpfkopf-Urwaldrhythmus dazu.

Ich dachte an Willi. ›Ruht euch nie aus! Sucht die Herausforderung! Traut euch das zu, was ihr noch nicht könnt!‹ Ja, genau das hatte Willi gesagt und genau deshalb gab ich meiner Angst jetzt einen Tritt in den Hintern und schaute mich um.

Überall huschten die R.v.a.G.s durch den

Schnee: die Ratten von außergewöhnlicher Größe. Die Ratten, die auf Katzenjagd gingen. Ja, und anstatt mich vor ihnen zu fürchten zählte ich sie. Ich zählte sie und gab ihnen Namen. Nummer eins war der *Schleimige Regenwurmschwanz.* Zwei die *Einäugige Emma.* Nummer drei nannte ich *Otto mit der abgebissenen Zunge,* vier einfach nur *Flitzer,* weil er kein Fell mehr besaß, und fünf hieß die *Fette Charlotte.* Wow! Das machte Spaß und bei Nummer neunundzwanzig platzte das Lachen aus mir heraus. Der torkelnde *Schnapsnasen-Karl* kroch aus einer Fünfliter-Weinflasche heraus und hüpfte im Rhythmus seines Schluckaufs über den Schnee, als hätte er mexikanische Springbohnen verschluckt. Hicks! Hicks! Hick-icks!

Da hielt Leon an.

»Und? Wie viele hast du gezählt?«, fragte er, als lese er meine Gedanken.

»Wie bitte?«, gab ich seine Frage zurück.

»Wie viele Ratten?«, erklärte er.

»Neunundzwanzig«, antwortete ich überrascht. »Und die letzten waren echt lustig. Hast du den da gesehen?«

Ich deutete auf *Schnapsnasen-Karl*. Leon nickte und zeigte etwas weiter nach vorn.

»Und das ist die Dreißig. Der Ratten-Hauptmann, oder wie ich ihn nenne: der *Alte Fritz*.«

Ich hielt die Luft an. Das, was da vor uns saß und auf uns lauerte, war keine Ratte. Das war fast schon ein Hund.

So groß war der Kerl und sein Gebiss hatte der *Alte Fritz* von einem Säbelzahntiger geerbt.

»Als ich das erste Mal hier war«, erzählte Leon, »war Karl noch der Boss. Dann ist der *Alte Fritz* aufgetaucht.«

Mit diesen Worten ließ er sein Fahrrad fallen und ging auf ihn zu.

»Heiliger Muckefuck! Leon, was machst du da?«, schrie ich auf.

Doch Leon ließ sich dadurch nicht beirren.

»Ohne Fritz geht hier nichts«, sagte er, zog einen Batzen Käse aus der Jackentasche heraus und hielt ihn der Ratte direkt vor die Nase. Der *Alte Fritz* zögerte kurz. Dann schnellte er vor. Blitzschnell riss er Leon den Käse aus der Hand und verkroch sich damit in einen der unterirdischen Gänge.

»Komm!«, sagte Leon. »Komm schon. Wir sind jetzt da.«

Ich stutzte. Ich konnte nichts sehen. Nichts als den hicksenden *Schnapsnasen-Karl* und einen flachen Hügel aus Schnee. Doch als ich mein Fahrrad liegen ließ und Leon Richtung Schneehügel folgte, erblickte ich eine Öffnung in dem Hügel: ein etwa ein Meter großes, kreisrundes Loch. Und das wurde von einer ebenso großen Schneekugel wie von einem Korken verstopft.

# Für immer und ewig

»Hey, Leon! Was soll das?«, protestierte ich und stapfte durch den kniehohen Schnee. »Sind wir den ganzen Weg durch die Steppe gefahren, damit du mir diesen Iglu hier zeigst? Heiliger Muckefuck! Den hättest du überall hinbauen können. Ja, zum Beispiel in deinen Garten. Und das hätte uns 'ne ganze Menge Käse erspart.«

Vorsichtshalber sah ich mich nach dem *Alten Fritz* um, aber der Ratten-Hauptmann war spurlos verschwunden.

»Das ist kein Iglu!«, antwortete Leon. Er wuch-

tete die Schneekugel aus der Öffnung heraus und war im nächsten Moment in ihr verschwunden. »Das ist unser neues Geheimversteck!«

»Ach, was du nicht sagst! Und was machen wir im Frühling, wenn unser Geheimversteck schmilzt?«

Doch Leon gab keine Antwort. Ich seufzte, verdrehte die Augen und kletterte ebenfalls in den Iglu hinein. Dem Eingang folgte ein Tunnel aus Eis. Gebückt lief ich durch ihn hindurch. In dem schummrigen Licht sah ich nur meine Füße.

Da hielt mich Leon urplötzlich fest.

»He! Warte! Einen Moment!«, flüsterte er und im selben Moment entdeckte ich den Riss im Boden. Nur einen halben Schritt von mir entfernt klaffte die Erde mindestens zwei Meter breit auf.

»Was ist das?«, hauchte ich.

»Unser Geheimversteck!«, grinste Leon. »Das hab ich dir doch schon gesagt.«

»Da unten?«, fragte ich. »Da in dem Loch?«

»Ja«, antwortete Leon. »Du vertraust mir doch, oder?«

»Wie bitte? Natürlich. Aber was meinst du damit?«

»Das wirst du gleich sehen. Komm!«, sagte Leon, nahm meine Hand und führte mich an den Rand des Risses heran. »So, und jetzt werden wir springen.«

»Nein! Das werde ich nicht!«, rief ich und riss mich sofort wieder los. »Du bist ja verrückt!«

»Und du vertraust mir nicht, Fabi!« Leon schaute mir jetzt direkt in die Augen.

»Du bist ja verrückt!«, flüsterte ich.

»Ja, vielleicht«, sagte er und dann verzog er sein Gesicht zu einem fantastischen Grinsen. »Aber vielleicht bin ich auch einfach nur wild. Komm. Ich zähle bis drei!«

Ich schüttelte den Kopf, aber ich suchte trotzdem nach Leons Hand.

»Eins!«, sagte er, »Zwei! Und ... Kacke verdammte!«

Leon sprang los und mit dem lautesten »Heiligen Muckefuck!« meines Lebens sprang ich mit ihm in das schwarze Loch. Für die Ewigkeit eines angehaltenen Herzschlags flogen wir durch das Nichts. Dann krachte es um uns herum. Aufgeblasene Müllsäcke detonierten ohrenbetäubend unter unseren Hintern. Sie fingen unseren Sprung ab und im nächsten Augenblick landeten wir auf einer federweichen Matratze.

»Wow!«, raunte ich. »Das war echt wild!«

»Ja, und es wird noch viel wilder!«, sagte Leon und kramte eine Taschenlampe hervor.

Langsam schweifte ihr Kegel durch das unterirdische Gemäuer.

»Was ist das?«, wollte ich wissen.

»Ein unterirdischer Hangar«, antwortete Leon. »Hier haben sie im Zweiten Weltkrieg ihre Flugzeuge versteckt. Siehst du, da vorn!«

Das Licht seiner Taschenlampe streifte über das alte Flugzeug. Ich sprang sofort auf.

»Leon! Das ist eine P 51 Twin Mustang. Das war das schnellste Motorflugzeug der Welt. Verflixt und zugenäht! Wie hast du das nur gefunden?«

»Ich hab in der Schule aufgepasst!«, grinste Leon. »Herr Hochmuth hat es uns persönlich erzählt.

Hast du das etwa vergessen? In HSK. Ja, und den Rest hat mein Opa gewusst. Er hat als Kind hier gespielt!«

»Ich werd verrückt!«, rief ich und meinte es absolut ernst. Schon kletterte ich auf einen der Zwillingsrümpfe des Flugzeugs hinauf und klappte die Glaskanzel hoch.

»Leon, das hier ist tausendmal besser als die Geheimhalle im Wilden Wald. Komm! Lass uns fliegen.«

»Einen Moment!«, rief Leon, rannte zu einem Metallkasten an der Wand, schraubte ein paar Sicherungen fest und kippte einen riesigen Hebel.

Sekunden später flackerten Glühbirnen auf und dann ächzte und knarrte es über mir in der Wand. Ein gigantischer Ventilator begann sich zu drehen und blies uns den Wind ins Gesicht. Wow! Jetzt fühlte es sich wirklich so an, als ob wir flögen. Seite an Seite jagten Leon und ich durch die Luft. Wir sausten im Sturzflug auf die Erde hinab und jagten zum Looping wieder hinauf. Dort segelten wir lautlos über die Wolken und plötzlich schaute mich Leon aus dem Cockpit des Zwillingsrumpfes neben mir ganz ernst und aufrichtig an. So, wie er mich angeschaut hatte, als wir die Geheimhalle nach dem heutigen Training verließen.

»Was ist mit dir los?«, fragte ich. »Hey, Leon! Was ist?«

Doch Leon hatte Mühe zu sprechen. Endlich bekam er den Kloß aus dem Hals.

»Ich will nicht, dass sich was verändert!«, flüsterte er. »Fabi, ich will das nicht, hast du gehört! Auch wenn uns Willi noch so viel erzählt: Ich will, dass alles so bleibt, wie es ist.«

»Wie meinst du das?«, fragte ich ihn verwundert. Immerhin hatte mir Leon erst gerade etwas ganz wunderbar Neues gezeigt.

»Ich will, dass wir immer zusammenbleiben!«, antwortete Leon. »Du, die *Wilden Kerle* und ich!«

Für einen Moment war es still. Dann musste ich lachen. Ich konnte nicht anders. Das Lächeln flog mir einfach ins Gesicht.

»O Mann! Und au Backe! Leon, natürlich bleiben wir das. Das verspreche ich dir. Wir bleiben zusammen, bis wir als die *Wilden Mumien* bei der Altersheim-Stadtmeisterschaft spielen.«

Leon musterte mich. Zuerst war er skeptisch. Doch dann steckte ihn mein Lachen an.

»Altersheim-Stadtmeisterschaft! Das ist echt gut!«, rief er und sprang aus dem Cockpit des Flugzeugs heraus. »Komm, Fabi! Wir müssen nach

Hause. Wir haben morgen ein absolut wichtiges Hallenturnier.«

»Worauf du Gift nehmen kannst!«, gab ich ihm Recht und mit diesen Worten kletterten wir über eine Strickleiter aus dem Hangar heraus, sprangen auf unsere Räder, winkten dem *Alten Fritz* mit seinen Säbelzahntigerzähnen noch einmal zu und rasten an einem überraschend lauen Winterabend glücklich und um die Wette nach Haus.

## Glatteis, Tohuwabohu
## und wilde Gerüchte

»Alles ist gut!«, rief Leon mir nach.

»Ja, solange du wild bist!«, winkte ich zu ihm zurück.

Dann bog ich in den Fasanengarten hinein. Der Schneematsch spritzte um mich herum wie das Wasser in der Magischen Furt. Ich hob die Faust.

»Ja, solange du wild bist!«, schrie ich zum Himmel empor und in diesem Moment wusste ich: Morgen, ja morgen, das wird mein Tag!

Doch was an diesem Tag alles passieren sollte, dass wusste ich nicht. Ich sag es euch: Manchmal werden die glücklichsten Momente von den größten Katastrophen verfolgt. Ja, und deshalb folgte diesem lauen Winterabend auch ein eisiger Regen.

Ich bekam nichts davon mit. So tief und so fest konnte ich nach dem Flug mit Leon in der P 51 Twin Mustang schlafen. Die P 51 allein war schon der Cadillac des Himmels. Doch zum zweimotorigen Zwillingsrumpf ausgebaut, fühlte man sich in ihr, als flöge man mit seinem besten Freund Seite an Seite in zwei vergoldeten Silberpfeilen direkt in den Sonnenuntergang. Genau! Und das mit über 988 Sachen!

Am Morgen danach waren die Straßen vereist. Ich saß mit meiner Mutter am Frühstückstisch und staunte über die Radioansage. Die Straßen und Bürgersteige waren so glatt, dass man an die Briefträger, nachdem sich zehn von ihnen den Po geprellt hatten, Schlittschuhe verteilte. Ich lief

zum Fenster und presste die Nase gegen das Glas. Das musste ich sehen und tatsächlich glitt nur einen Augenblick später der alte Herr Hase in den Fasanengarten hinein und tanzte, während er die Briefe in die Vorgärten warf, auf seinen Schlittschuhen durch die Straße, als wäre er der Star aus *Hollywood on Ice*.

In diesem Moment piepste der Alarm meiner Armbanduhr. Neun Uhr fünfundvierzig. Verflixt! Höchste Eisenbahn! Ich riss die Jacke vom Haken, stülpte die Mütze auf meinen Kopf, warf den Rucksack über die Schulter und stürmte aus der Haustür hinaus.

Mit »Hi-ilfe« und »Autsch!« dotzte ich auf den eisigen Gehweg. Doch mich interessierte nur eins. »Mama! Wo ist mein Fahrrad?«, rief ich, da schob sie es auch schon aus dem Hausflur hinaus.

»Wow!«, raunte ich, denn mein Fahrrad hatte sich deutlich verändert. Es war glatteistauglich geworden und das hab ich euch noch gar nicht erzählt. Meine Mutter, die ihr bisher nur kennen gelernt habt, wie sie die Teller auf dem Wohnzimmerschrank geputzt hat, ist früher einmal Rallyes gefahren. Ja, ganz wild und absolut professionell. Und diese Wildheit und Professionalität hatte sie noch immer im Blut. Ha! Und jetzt ratet mal, wie mein Fahrrad aussah!

Na, was ist? Soll ich's euch sagen?

Okay, okay! Also gut: Mein Fahrrad war vorne und hinten ganz neu bereift: mit waschechten turbo-wilden Speedway-Motorrad-Spikes. Raah! Habt ihr so was schon mal gesehen? Ich auf jeden Fall nicht. Deshalb gab ich meiner Mutter den wohlverdientesten Kuss unseres gemeinsamen Lebens, sprang in den Sattel und raste davon.

Die *Wilden Kerle*, die ich unterwegs traf, staunten nicht schlecht.

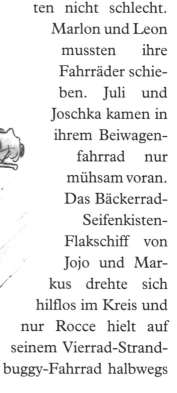

Marlon und Leon mussten ihre Fahrräder schieben. Juli und Joschka kamen in ihrem Beiwagenfahrrad nur mühsam voran. Das Bäckerrad-Seifenkisten-Flakschiff von Jojo und Markus drehte sich hilflos im Kreis und nur Rocce hielt auf seinem Vierrad-Strandbuggy-Fahrrad halbwegs mit mir mit. Doch auch er hatte nicht den Hauch einer Chance. Das war heute mein Tag! Das hab ich euch doch schon gesagt! Ich war der Iceman. Ich war der King der vereisten Stadt und des-halb gewann ich das Rennen zur Halle.

Dort wartete ich auf die andern. Felix, Deniz, Vanessa, Maxi und Raban kamen zu Fuß, doch als ich ihnen meine Spikes demonstrierte, beschloss jeder von ihnen, dass das der letzte Tag war, an dem er ein winteruntaugliches Fahrrad besaß.

»Wir treffen uns morgen!«, rief Marlon begeis-tert. »In der Werkstatt meiner Mutter. Und bringt alles mit, was ihr finden könnt!«

Dann erschien Willi, pünktlich um zehn, und zusammen mit ihm gingen wir in die Dreifachhalle hinein.

WUUUUSCH!

Die Tür zum Eingangsbereich öffnete sich wie eine gigantische Schleuse. Danach waren wir mittendrin. Zuschauer, Eltern, Trainer und Kinder liefen wild durcheinander und der Lautsprecher krächzte aus der Halle heraus:

»Herzlich willkommen zum Hallenturnier. Wir wünschen euch allen für die Qualifikation zur Hallenmeisterschaft viel Glück.«

Wie benommen drängten wir uns hinter Willi durch das Gewimmel. Einige der Mannschaften kamen schon in ihren Trikots aus den Kabinen heraus. Sie schoben und pressten sich an uns vorbei und dabei hörte ich die Gerüchte.

»Es gibt einen Topspieler heute!«

»Ja, der beste Spieler des Turniers wird von den Trainern gewählt.«

»Nein! Du hast doch überhaupt keine Ahnung. Nicht von den Trainern. Von einem Scout!«

»Wie bitte? Ist das dein Ernst?«

»Ja. Ein Scout! Verflixt! Das hast du richtig gehört! Ein waschechter Scout von den . . .«

Mehr hörte ich nicht, denn in diesem Moment zog mich Willi in die Kabine hinein.

»Hey, Fabi! Was ist? Hast du vergessen, warum wir hier sind?«, fragte er und grinste mich an.

Ich schaute mich überrascht in der Umkleide um. Die *Wilden Fußballkerle* trugen schon ihre Trikots und Leon, der Schnellste von ihnen, schnürte bereits den zweiten Schuh.

»Nun ja, ich glaube, Fabi spielt heute nicht mit!«, grinste er. »Er träumt noch vom Fliegen!«

»Pass auf, was du sagst!«, drohte ich ihm. Dann fiel mir die P 51 Twin Mustang ein und ich setzte mich lachend neben ihn auf die Bank.

»Du wirst es nicht glauben«, erzählte ich ihm begeistert, »aber ich fliege wirklich, weißt du? Leon! Heute und hier, das ist mein Tag!«

»Das hoffe ich doch!«, raunte Willi. »Und das hoffe ich für euch alle!«

Er schaute uns einen nach dem anderen an.

»Das ist euer erstes Turnier. Aber das wird man nicht spüren. Glaubt mir, ihr habt hart und ausgezeichnet trainiert. Und das jeden Tag. Das macht keine andere Mannschaft. So etwas machen nur Profis. Ja, und deshalb könnt ihr euch hundertprozentig auf euch verlassen. Ja, und bleibt ruhig. Das Turnier dauert lang. Es ist ein 10er-Turnier. Fünf Mannschaften kämpfen in zwei Gruppen gegeneinander, Platz eins und zwei spielen das Halbfinale unter sich aus und nur der Erste kommt weiter.«

Wir starrten ihn an.

»Wie bitte?«, schluckte Felix. »Einer von zehn?«

»Ja, deshalb macht ihr heute sechs Spiele. Vier

in der Gruppe, das Halbfinale und das Finale, das ihr gewinnt.«

»Hey, einen Moment!«, protestierte Deniz der Türke. »Will-ha-hilli, woher weißt du das, was du da sagst?«

»Weil ihr alle bei der Hallen-Stadtmeisterschaft mitspielen wollt!«, antwortete Willi todernst. Doch ganz tief in seinen Augen entstand dieses Leuchten. Das Leuchten, das uns mehr als alles andere motiviert.

»Das wollt ihr doch, oder?«, grinste Willi und ließ das Leuchten aus seinen Augen heraus.

Und ob wir das wollten! Das war doch klar! Und als ob der Hallensprecher das wusste, rief er uns zum Eröffnungsspiel auf.

»Für das erste Spiel machen sich bitte bereit: die *Wilden Fußballkerle e. W.* und der *TSG Hertha 05.*«

»Hey! Es geht gegen Friede-ha-rich!«, rief Deniz, die Lokomotive, und stürmte los. »Den machen wir platt!«

»Ja! Platt wie ’ne Flunder!«, rief ich, gab Leon ein fettes High Five und rannte zusamen mit ihm aus der Kabine hinaus.

# Wild und erbarmungslos

Die Halle empfing uns mit ohrenbetäubendem Lärm. Doch wir achteten gar nicht darauf. Wir machten nur unseren Kreis. Arm in Arm standen wir da und Schulter an Schulter. Leon sah jedem von uns ganz tief in die Augen. Dann fauchte er tigergefährlich: »Sei wild!«

»Gefährlich und wild!«, fauchten wir verschworen zurück.

»Alles ist gut!«, rief Leon jetzt lauter.

»Solange du wild bist!«, antworteten wir und unsere Stimmen hallten trotz des Lärms ganz deutlich von den Wänden zurück.

Dann holte Leon tief Luft. Er zählte bis drei: »Eins. Zwei. Drei!«

Und dann brüllten wir alle zusammen. Wie ein riesiges Fußball spielendes Monster brüllten wir den *Wilde Kerle*-Schrei.

»RAAAH!«, fegte es durch die Halle und erstickte jedes Geräusch.

Die Zuschauer reckten ihre Köpfe über das Geländer der Tribüne und schauten neugierig zu uns herab. Die Spieler des *TSG Hertha 05* wirkten plötzlich zwei Jahre jünger, so viel Angst hatten sie, und Deniz' ehemaliger Trainer, Jabba, der Bock alias Friederich Böckmann, klebte in seinem lila Trainingsanzug geschockt an der Wand. Seine Glatze glühte wie Lava und sein Haarkranz kreiste um sie herum wie ein Heiligenschein aus der Hölle. Ja, und dorthin schickten wir ihn und sein Team auch kurzerhand wieder zurück. Sechs zu null hieß es nach sieben Minuten, und als drei Minuten später der Abpfiff ertönte, schoss ich zeitgleich, nach Blitzpasstorvorbereitung von Leon, mit meinem fünften Tor zum Zwölf zu null ein.

Vier Treffer hatte Leon erzielt und die anderen kamen von Vanessa, Marlon und Deniz. Ja, und Deniz, die Lokomotive, bedankte sich jetzt, nach einer kurzen Rücksprache mit mir, auf perfekte Fabi-Art bei dem geplätteten Böckmann für das so außerordentlich ausgewogene Spiel.

»Hey, hallo, Friede-ha-rich! Kennst du mich noch? Ich bin's, Den-ha-heniz der Türkendickschädel. Der, den du rausgeworfen hast!«, grinste Deniz und ergriff die Hand seines ehemaligen Coachs. »O Mann, alter Junge! Du weißt ja gar nicht, wie sehr ich mich über dieses Wiedersehen hier freu.

Verflixt! Ich muss mich wirklich bei dir bedanken.
Ja, danke, Friede-ha-rich. Vielen Dank dafür, dass
ich dich dorthin zurückschicken durfte, wohin du
gehörst: in die Hölle.«

Böckmann bebte. Das Blut schoss in ihm hoch
und er holte tief Luft. Doch bevor er seinen Fäusten den Befehl zum Schlag erteilen konnte, war
Deniz schon weg.

Auch die nächsten zwei Spiele konnten wir ohne

Gegentor für uns entscheiden und Leon und ich spielten so gut wie noch nie. Wir waren die Goldenen Twins. Die perfekte Sturm- und Tormaschinerie der *Wilden Fußballkerle e.W.* und genauso wild und erbarmunglos schlugen wir zu. Zweimal traf Leon gegen *Milbertshofen*. Einmal mit dem Kopf und einmal mit dem Knie. Doch gegen *Großhadern* war ich wieder vorn. Mir gelang einfach alles und aus den spitzesten und unmöglichsten Winkeln donnerte ich das Leder gleich dreimal ins Netz.

Im vierten und letzten Gruppenspiel ging es dann um die Wurst. Der *SV 1880* hatte wie wir alle Partien gewonnen. Doch an unser Zwölf zu null gegen *Hertha* kam er nicht ran. Wir lagen im Torverhältnis klar vorn. Deshalb musste *1880* gewinnen. Nur dann würden sie Erster der Gruppe A und im Halbfinale auf die schwächere Mannschaft, den Zweiten der Gruppe B, treffen. Aber diese Position forderten wir und im Gegensatz zu *1880* reichte uns ein Remis dafür aus. Wir besaßen eindeutig die besseren Karten. Wir konnten cool und selbstbewusst spielen. Doch es war wie verhext. Zum ersten Mal verspürten wir Druck. Wir wurden nervös, liefen wie blind über den Platz und die Pässe torkelten fahrig ins Leere. Die einzige Torchance, die wir erspielten, wurde von Deniz, der Lokomotive, vergeigt. Zwei gegen eins standen Leon und er vor dem Tor. Ein kleiner Querpass zu Leon hätte genügt. Doch Deniz machte alles allein und: vergab. Ja, und dann machten wir alle zusammen einen riesigen Fehler. Wir schlugen das, was uns Willi vor dem Spiel eingeschärft hatte, aus lauter Unsicherheit in den Wind.

»Spielt ja nicht auf Unentschieden!«, hatte er uns bei der Mannschaftsbesprechung in der Kabine beschworen. »Die Halle ist tückisch. Das habe ich euch vor dem ersten Training gesagt. Erinnert ihr euch? Wenn man nicht konsequent spielt, dann gelingt selbst dem schwächeren Gegner in letzter Sekunde ein Tor.«

Doch das hatten wir alle vergessen. Zwei Minuten vor Schluss zogen wir uns in unsere Hälfte zurück. Wir verließen uns auf Vanessa und auf Juli »Huckleberry« Fort Knox.

Die Unerschrockene und die Viererkette in einer Person verbarrikadierten das Tor. Die Schüsse des Gegners prallten von ihnen wie von einer Mauer zurück oder sie wurden von Markus, dem Unbezwingbaren, dem Einzigen, der sich von unserer Nervosität nicht anstecken ließ, wie Aufwärmbälle pariert. Aber das reichte nicht aus. Wenn man unsicher wird, sollte man sich nicht gegen die

Wand drängen lassen. Insbesondere wenn in dieser Wand ein Fünf-Meter-Loch klafft, das man Fußballtor nennt. Und auf das lief der *SV 1880* jetzt Sturm.

Sieben Sekunden vor Schluss zog der Rechtsaußen ab. Markus flog schon in die linke obere Ecke. Da warf sich Juli todesmutig gegen den Schuss. Mit dem Kopf katapultierte er das Leder aus dem Strafraum hinaus und genau auf den Fuß der Nummer 10. Doch das war nicht Marlon. Der saß auf der Bank. Diese Nummer 10 gehörte zum Gegner. Er war ihr Mittelfeldregisseur und mit der Übersicht, die zu dieser Position nun mal gehört, lupfte er den Ball volley über Vanessa und den verzweifelt vom Boden aufspringenden Markus ins Netz.

Der Jubel des *SV 1880* fiel mit dem Schlusspfiff

zusammen. Wir schauten uns ohnmächtig an. Es war überhaupt nichts verloren. Wir waren Zweiter in der Gruppe A. Wir standen im Halbfinale. Doch wir konnten uns darüber einfach nicht freuen. Durch diese Niederlage hatte sich alles geändert. Wir waren verwundbar geworden. Man konnte uns schlagen. Wir waren nicht mehr das beste Team des Turniers.

Wortlos schlichen wir aus der Halle. Das heißt, die anderen *Wilden Fußballkerle* schlichen aus ihr heraus. Ich rannte los. Ich trat die Tür zum Kabinentrakt auf. So wütend war ich. Ich wollte einfach nur raus! Da spürte ich seinen Blick. Ich blieb sofort stehen. Ich drehte mich um. Ich schaute zur Tribüne auf der anderen Hallenseite zurück und ich sah ihn sofort.

Er saß abseits der anderen Zuschauer in einem extra für ihn abgesperrten Bereich. Er schrieb etwas auf einen Zettel, doch dann hob er seinen Kopf. Ganz langsam hob er ihn, als wüsste er, dass ich hier stehe. Hager und ernst und aus ganz dunklen Augen schaute er mich über seine Adlernase hinweg direkt an. Ja, und noch bevor ich die Biberfellmütze, die auf der Bank neben ihm lag, entdeckte, wusste ich, wer er war:

Der Scout.

Der, der den besten Spieler aussuchen würde. Ja, aber nicht nur zum Spaß, sondern um ihn für den besten Verein zu verpflichten, den es in der ganzen Stadt gab.

»Hey! Was ist los?«, fragte Leon, der hinter mir stand. »Schlägst du hier Wurzeln?«

Ich zuckte zusammen. Der Versuch eines unwiderstehlichen Lächelns schlug absolut fehl. Leon musterte mich. Dann folgte sein Blick meinem zur Tribüne der Halle hinauf und traf auf den Scout.

»Kacke verdammte! Was willst du von dem?«, fragte er und schaute mich argwöhnisch an. »Der kommt von den *Bayern*!«

»Da hast du Recht!«, schnaubte ich wütend. »Und wir sind die *Wilden Mumien* auf dem Weg zur Altersheim-Stadtmeisterschaft.«

Ich drehte mich um und lief aus der Halle.

# Ein Boxer schließt niemals die Augen

»Fabi hat Recht!«, sagte Willi in der Kabine und schleuderte uns die ganze Wahrheit mit einem Schlag ins Gesicht.

Wir starrten auf unsere Füße. Wir suchten die Umkleidewand nach Spinnweben ab. Wir lasen die Sprüche, die auf die Bank geschmiert waren: ›Wilson liebt Sarah! Oskar ist schwul!‹ Doch egal, was wir lasen, überall stand nur ein einziger Satz: ›Ihr seid die *Wilden Mumien* auf dem Weg zur Altersheim-Stadtmeisterschaft!‹

Heiliger Muckefuck! Ich biss meine Fingernägel bis auf die Halbmonde ab. Das war mein Tag! Das hab ich euch doch schon gesagt. Wir hätten gewinnen können! Leon und ich, wir hatten unseren einzigen Angriff gespielt. Der Abstoß von Markus wurde vom Slalomdribbler blitzschnell weitergeleitet. Rückwärts und über Kopf schoss er den Ball direkt nach rechts in den Raum. Dort täuschte ich an. Eine kurze Körperdrehung genügte und der

Verteidiger des *SV 1880* knallte gegen die Wand. Dann war der Weg frei, und ohne dass ich das Leder auch nur einmal berührte, stürmte ich auf die Eckfahne zu. Ich gab Gas. Das liebte ich und bei jedem Schritt stießen sich meine Sohlen wie fette Ferrari-Formel-Eins-Rennreifen vom Fußboden ab. Der Luftzug meiner Beschleunigung kühlte die Schläfen und in atemloser Geschwindigkeit raste die Wand hinter der Torauslinie jetzt frontal auf mich zu.

Heiliger Muckefuck! Zum Bremsen war es zu spät! Und auch eine Flanke war nicht mehr möglich. Die Nummer 10 des *SV 1880*, ganz genau die, die uns sieben Sekunden vor Schluss auf den Mond geschickt hatte, versperrte den Weg. Der Mistkerl grinste wie eine Spinne, der die Biene Maja ins Netz gesummt war. Doch das war ein Fehler! Dafür verdiente er eine Lektion! Ja, und deshalb zog ich nicht mit dem rechten, sondern mit dem linken Fuß ab. Ich drosch den Ball steil gegen die rechte Seitenbande nach oben, und während ich auf die Turnmatte prallte, die an der Eckfahne aufgestellt war, sah ich, wie die Kugel hasta-la-vista-bombastisch ins Spielfeld zurücksprang und die Nummer 10 von einer Spinne in einen begossenen Pudel verwandelte. In hohem Bogen flog das Leder über den arroganten Mistkerl hinweg und landete wie ein Golfball im Loch auf Deniz' Außenriss. Die Lokomotive stand mutterseelenallein vor dem Tor. Sie hatte alle Zeit dieser Welt. Sie konnte den Ball stoppen und ihn im Doppelpass mit Leon im Tornetz versenken. Ein kleiner Seitenblick hätte genügt. Der Torjäger sprintete längst auf den rechten Torpfosten zu. Doch Deniz zog ab. Hektisch und wolkenkratzermäßig übermotiviert donnerte er das Leder aus zwei Metern Entfernung drei Meter am linken Kreuzeck vorbei.

»Verflixt! Wir hätten gewinnen können!«, rief ich und sprang von der Bank.

»Da hast du Recht!«, sagte Willi eiskalt. »Aber ihr konntet es nicht.«

Ich schluckte. Ich suchte Hilfe bei Leon. Doch der ballte die Fäuste, bohrte die Fingernägel in die Handflächen hinein und suchte dasselbe bei mir. Wir fühlten uns beide, als hätte man uns gefesselt und mit tonnenschweren Gewichten behängt. Wir wollten gewinnen, doch wir konnten es nicht. Wir hatten es gerade erfahren. Es gab bessere Teams.

Niedergeschlagen und ohne ein Wort sackte ich zurück auf die Bank. Das war also mein Tag. Der Tag nach der Nacht, in der ich zusammen mit meinem besten Freund Leon zum ersten Mal in einer echten P 51 Twin Mustang über die Wolken geflogen war. Und das mit 988 Sachen!

»Ist das alles, was ihr dazu zu sagen habt?«, fragte Willi.

Unter seiner Stimme lag ein raues, unheilvolles, eisiges Klirren. Dann sprang er auf. Wie ein Riese türmte er sich vor uns gegen die Decke und zum ersten Mal, seitdem wir ihn kannten, wurde Willi wütend und laut.

»Verfluchte Hacke!«, schnaubte er und schnappte nach Luft. »Verfluchte und vermaledeite kreuz- und quergeeierte Streifenhacke!«

Er blitzte uns an, und als wären seine Augen Magneten, hingen jetzt alle Blicke an ihm.

»Gut, so ist es schon besser!«, grummelte Willi.

Er strich seinen Nadelstreifenanzug und die rot gepunktete Krawatte glatt und räusperte den letzten Rest Wut aus sich raus. Dann ging er vor uns in die Hocke.

»Hey!«, flüsterte er und forderte absolute Aufmerksamkeit. »Hey!«

Er wartete. Er nahm jeden von uns ins Visier.

»Ja, so ist es gut!«, nickte er. »Und jetzt erinnert ihr euch bitte an das, was ich euch gestern eingebläut hab. Gestern, direkt nach dem Training. Hab ich euch da etwa in irgendeiner Weise ermuntert, dass ihr euch unter dem Hallenfußboden verkriecht?«

Wir schüttelten unsere Köpfe.

»Und dass ihr den *SV 1880* anbetteln sollt, dass er euch bitte besiegt!«

»Beim fliegenden Orientteppich!«, lachte Deniz, die Lokomotive. »Wil-ha-hilli. Was erzählst du da für einen Mist?«

»Aha!«, runzelte Willi die Stirn. »Mist nennst du das. Und warum macht ihr das dann? Warum tut ihr nicht das, was ich sag?«

»Weil das viel zu schwer ist!«, protestierte Joschka, die siebte Kavallerie. »Willi! Du kannst nicht bei allem, was du tust, deine Schritte mitzählen. Extra touristische Tellergans! Dann würde ich heute immer noch über die Gespensterbrücke laufen und versuchen zu meinem Fahrrad zu kommen. So oft hab ich mich gestern verzählt!«

»Kreuzkümmel! Das heißt Intelligenz!«, regte sich Juli auf. »Extra touristische Intelligenz.« Er stieß Joschka den Ellenbogen in die Rippen. »'tschuldigung, Willi! Aber der lernt das nie!«

Für den Bruchteil einer Sekunde huschte ein Schmunzeln über Willis Gesicht.

»Ich weiß, es ist wirklich sehr schwer. Aber das mein ich nicht, Joschka. Ich rede vom Boxen.«

Das Schmunzeln, das über sein Gesicht gehuscht war, kehrte zurück.

»Wenn ein Boxer angegriffen wird, schließt er niemals die Augen. Das wäre tödlich für ihn. Dann kann er den nächsten Schlag des Gegners gar nicht mehr sehen. Ja, und auch nicht die Fehler, die dieser mit Sicherheit macht. Dann wird er zum Opfer. Dann lässt er sich in die Ecke drängen, und anstatt sich zu wehren bittet er seinen Gegner darum, dass man ihn noch mehr verprügelt.«

»Dampfender Teufelsdreck!«, zischte Markus, der Unbezwingbare, und stieß Jojo, der mit der Sonne tanzt, in die Rippen. »Dampfender Teufelsdreck!«

»Ganz genau. Das hab ich gestern gemeint«, nickte Willi. »Ihr sollt lernen die Augen offen zu halten. Ihr müsst euch vor niemandem fürchten. Auch nicht, wenn er besser ist als ihr. Schaut ihn euch an. Seht seine Stärken und Schwächen und wachst mit ihm mit. Dann werdet ihr irgendwann genauso gut sein wie er. Habt ihr das alle kapiert?«

Wir nickten begeistert.

Ich schlug einen rechten Haken gegen Leons Gesicht und der fing ihn mit der linken Hand ab.

»BAMM!«, zischte ich.

Leon starrte mich an. Er zwinkerte nicht.

»Ein Boxer schließt niemals die Augen!«, grinste er.

Dann schlug er zurück. Blitzschnell und ansatzlos. Doch auch ich fing seinen Schlag mit meiner Hand ab. Ich hielt seine Faust sogar fest.

»Ganz genau!«, schickte ich ihm sein Grinsen zurück und dann gaben wir uns ein High Five.

»Gut!«, nickte Willi. »So ist es gut und so werdet ihr auch das Endspiel im Halbfinale gewinnen.«

»Wie bitte?«, fragte Felix. »Was meinst du damit?«

»Ganz einfach. Dass ihr im Halbfinale auf den stärksten Gegner treffen werdet. Ihr seid Gruppenzweiter. Ihr spielt gegen den Ersten der Gruppe B. Und der ist stahlgrau, siegesverwöhnt und mit seinen dreißig zu null Toren hat er bisher jedes Team weggeputzt, als käme er von einem anderen Stern.«

»Der *TSV Turnerkreis*!«, raunte Raban entsetzt und das klang schlimmer als die finsterste pechschweflige und schwabbelbäuchige Hottentottenalptraumnacht seines bisherigen Lebens.

Den *TSV Turnerkreis* kannten wir besser als gut. Er war der Spitzenreiter in der Dimension 8. So hatte Joschka die Gruppe 8 der E1-Jugendmannschaften getauft, in der wir seit letztem Jahr spielen. Und seit dem letzten Hinrundenspiel, seit der Niederlage gegen genau diese Mannschaft in unserem eigenen Stadion, im *Teufelstopf*, im Hexenkessel aller Hexenkessel, lagen wir in der Meisterschaft sechs unaufholbare Punkte hinter den stahlgrauen Riesen zurück. Ja, Riesen, unbarmherzige grobschlächtige Riesen, denn die Spieler des *TSV Turnerkreis* waren nicht nur ein Jahr älter, zwei Köpfe größer und mindestens zwanzig Kilo schwerer als wir. Nein, sie spielten auch härter als hart.

»Hey!«, lachte Willi. »Was ist los mit euch? Die hättet ihr sowieso schlagen müssen. Ob Halbfinale oder Finale. Ja, und am Anfang des Turniers habt ihr das auch noch gewollt.«

»Sakra-Rhinozerospups!«, staunte Raban. »Bist du dir sicher? Ich kann mich an überhaupt nichts erinnern!«

Doch bevor Willi antworten konnte, rief uns der Hallenlautsprecher krächzend und eiszapfenspitz zum Kampf.

## Es kann nur einen geben!

Zum Eröffnungsspiel gegen den *TSG Hertha 05* hatte die Halle getobt. Jetzt empfing uns eine eiserne Stille. Eine Stille, in der selbst Maxi »Tippkick« Maximilian nichts mehr hören konnte als sein kleines, panisch klopfendes Herz.

Der *TSV Turnerkreis* hatte sich an der Mittellinie versammelt. Wie eine Wand stand er da. Eine Staumauer aus siegesverwöhntem Stahlgrau.

Mir fiel alles sofort wieder ein: der 23. November. Der letzte Spätherbstsonnentag. Ich hatte die ganze Nacht nicht geschlafen. So viel Schiss hatte ich, dass wir verlieren. Es war ein alles entscheidendes Spiel. Genauso wie heute. Es ging um die Herbstmeisterschaft. Ja, und um viel mehr! Doch mit dem *TSV Turnerkreis* zog der Winter in den *Teufelstopf* ein. Sturmwolken türmten sich auf. Sie kamen aus dem tiefsten Dezember, dem Turnerkreisland, und auf dem eisigen Wind, den sie schickten, ritten die stahlgrauen Riesen und machten uns platt.

Heiliger Muckefuck! Wo war mein Tag? Und was zählten die waschechten, turbo-wilden Speedway-Motorrad-Spikes angesichts solch eines Gegners? Der Winter war nicht unsere Zeit. Der Winter gehörte dem *Turnerkreis,* und als hätte sich der Hallenfußboden in Glatteis verwandelt, schlichen wir auf die graue Wand zu.

Unsere Knie begannen zu schmelzen wie billiges Kerzenwachs und dann begannen wir auch noch zu schrumpfen. Unsere Trikots waren plötzlich zu groß. Die Rückennummern baumelten uns über dem Hintern und die Fußballschuhe bogen sich an den Spitzen wie Clownslatschen auf.

Schon hörten wir leises Gekicher. »Sie lachen uns aus!«, schoss es mir durch den Kopf und ich glühte wie eine Tomate. Da holten die Spieler des *TSV* Luft. Sie sprangen nach vorn, direkt auf uns zu, zogen Monstergrimassen und schrien alle: »UAAAH!«

Wir zuckten erschrocken zusammen. Wir wichen sogar ein Stückchen zurück und mit diesem Zucken und Weichen brach die Staumauer ein. Die Stille riss auf und das Gelächter der Zuschauer stürzte auf uns herab.

Ich schloss die Augen. Ich verfluchte den Tag. Ich verfluchte den Boxer und ich verfluchte den Scout. Verflixt! Warum musste ich jetzt schon wieder an diesen Kerl denken? Keiner meiner Freunde sprach über ihn. Oder dachten sie heimlich alle dasselbe, dasselbe wie ich? »Ich will der Beste sein! Der Allerbeste!«

Da spürte ich einen Arm auf der Schulter. Ich wusste sofort, dass es Leons Arm war. Er stellte sich neben mir auf und bot den stahlgrauen Riesen doch tatsächlich die Stirn.

»Hey! Fabi! Denk an den *Alten Fritz*!«, flüsterte er. »Und das Geheimnis, das er bewacht!«

Ich schaute Leon überrascht an.

»Hast du überhaupt keine Angst?«

»Ich? Kacke verdammte! Ich mach mir vor Angst in die Hosen!«, grinste der Slalomdribbler. »Aber ich bin mit dir über den Wolken geflogen und deshalb ist das heute und hier unser Tag!«

»Ja, unser Tag!«, lachte ich und dann rief ich die andern. »Los! Kommt! Worauf wartet ihr noch!«

Die *Wilden Fußballkerle* sprangen herbei. Wir stellten uns auf. Schulter an Schulter. Aber zum ersten Mal in unserer wilden Geschichte machten wir keinen Kreis. Wir machten die »Wand«, genauso wie die Stahlgrauen, aber wir waren noch cooler als sie. Langsam gingen wir auf sie zu. Schritt für Schritt und mit jedem Schritt wurden unsere Knie wieder fester, wuchsen wir wieder in unsere Trikots und unsere Fußballschuhe hinein und holten unsere Herzen aus der Hose heraus. Dann begann Leon zu sprechen.

»Sei wild!«, sagte er.

»Ja, gefährlich und wild!«, raunten wir.

»Alles ist gut!«, gab Leon ein zweites Mal vor.

»Solange du wild bist!«, riefen wir und dann waren wir nur noch vier Schritte von den verdatterten Riesen entfernt.

»Eins! Zwei! Drei!«, zählte Leon und dann blieb er stehen.

Wir bauten uns vor den Stahlgrauen auf. Ich roch ihren Atem. Ich konnte, o Mann, war das eklig, die Popel in ihren Nasen zählen. Dann brüllten wir los.

»RAAAAAH!«, brüllten wir so laut, dass die Halle verstummte.

Doch die Spieler des *TSV Turnerkreises* rührten sich keinen Millimeter vom Fleck.

»Santa Panther im Raubkatzenhimmel!«, flüsterte Rocce, der Zauberer, neben Marlon, der Intuition.

Aber Leon und ich, wir wussten, dass die Kerle nur blufften. Wir führten die Wilde Wand den letzten Schritt auf sie zu. Unsere Blicke bohrten sich in die Augen der Gegner, und ohne ein einziges Mal auch nur ein bisschen zu zwinkern zischte Leon den entscheidenden Satz: »Wir machen euch platt!«

Die Riesen begannen zu beben. Sie wollten loslachen, doch ihre Lachmuskeln gehorchten ihnen nicht mehr. Ihre Gesichter erlitten dasselbe Schicksal wie zuvor unsere Knie. Sie zerflossen wie billiges Blei zu Silvester und ihre Zukunft schien gar nicht mehr rosig zu sein. Da riss sich der Kapitän der Stahlgrauen doch noch zusammen.

»Das werden wir sehen!«, zischte er. »Die Statistik spricht deutlich für uns. Wir haben das erste Spiel gegen euch bei euch zu Hause gewonnen und wir sind älter, größer und stärker als ihr!«

»Ja, und fieser und gemeiner! Und überhaupt«, konterte ich, »ist laut Statistik jeder sechste Mensch ein Chinese. Aber ihr habt, wenn ich es mir so richtig anschaue, überhaupt keinen Chinesen im Team!«

Dann ging es los. Wir hatten Anstoß. Marlon berührte den Ball und Leon ›klemmte ihn sich unter den Arm‹. Er preschte los, führte das Leder so eng am Fuß, dass keine Zeitung dazwischen passte, benutzte die immer noch verdatterten stahlgrauen Riesen wie Slalomstangen beim Training, stand allein vor dem Tor in bester Schussposition und spielte dann plötzlich nach rechts. Dort erschien ich, direkt durch die Schallmauer, und der Knall, der mir folgte, versenkte die Kugel im Netz. Direkt und ohne zu zögern drosch mein rechter Spann gegen das Leder und trieb es in das kurze Kreuzeck hinein.

Den Angriff des *Turnerkreises* parierte Markus. Er fischte den Ball wie eine Seifenblase aus dem Winkel heraus und warf ihn blitzschnell ins Spielfeld zurück. Marlon köpfte ihn weiter nach rechts. Dort nahm ich ihn mitten im Lauf mit dem Knie und lupfte ihn in die Mitte nach vorn. Leon stand da bereit. Wie ein Tiger kurz vor dem Sprung. Die stahlgrauen Urwaldriesen um ihn herum störten ihn nicht die Bohne. Er tauchte einfach ins Unterholz ab, sauste im Torpedo-Flugkopfball-Tiefflug durch ihre Beine hindurch und zwirbelte das Leder mit dem Scheitel am linken Innenpfosten vorbei.

Die Drei schoss Felix, der Wirbelwind, direkt

aus der Drehung und der Umklammerung zweier Stahlgrauer heraus. Die erinnerten sich jetzt an ihre wirkliche Stärke. Sie wurden knallhart und fies und gemein. Doch wir hatten unsere Lektion von Willi gelernt. Wir machten die Augen nicht zu. Wir waren immer um einen Deut schneller, um eine Haaresbreite voraus. Die Angriffe gegen unsere Knöchel und Rippen verpufften im Nichts und am Ende schoss Raban, der Held, zum ersten Mal in seiner Fußballgeschichte mit seinem falschen richtigen Fuß, mit rechts, zum Vier zu null ein.

Jetzt lachte uns keiner mehr aus, und als der Schlusspfiff ertönte, drehten wir uns einfach nur um. Wir liefen, als hätten wir gerade eine Trainingseinheit beendet, ganz lässig vom Platz. Selbst die Bemerkung, dass ich eine Wiederholung dieses Vergnügens in der Rückrundenbegegnung kaum abwarten könnte, schluckte ich runter. So cool, oder nein, so wild waren wir und so wild blieben wir auch im Finale.

Unser Gegner war der *SV 1906*. Gegen ihn hatten wir unser erstes Spiel im *Teufelstopf* absolviert. Damals, nach der Schlacht um Camelot gegen die *Unbesiegbaren Sieger*. Damals hatten wir unentschieden gespielt. Mit Mühe und Not hatten wir das geschafft, weil Juli »Huckleberry« Fort Knox, die Viererkette in einer Person, in letzter Sekunde hinter dem längst geschlagenen Markus den Ball von der Torlinie kratzte und ihn in die Baustrahler-Flutlichtanlage schoss. Der Sternenregen, der dieser Heldentat folgte, feierte das Remis wie einen Sieg. Doch jetzt waren wir ein halbes Jahr älter und spätestens seit Willis Ansprache in der Kabine spielten wir keinen Angeber-Angsthasen-Fußball mehr. Wir standen nicht mehr in der Ringecke. Wir griffen an und das taten Leon und ich dieses Mal um die Wette. Wir hatten einen prächtigen Lauf. Es gelang uns fast alles. Wir dribbelten, kombinierten den Dreifachdoppelpass mit rechts und mit links, wir kreuzten, tauschten die Positionen, spielten im allerletzten Moment den tödlichen Ball in den Raum und schossen am Ende jeder drei Tore.

Dann war es geschafft. Wir hatten gewonnen. Wir hatten uns für die Hallen-Stadtmeisterschaft qualifiziert. Jubelnd stürzten wir uns auf Willi, den besten Trainer der Welt. Dann liefen wir durch die Halle, stellten uns in einer Reihe vor dem Publikum auf und rissen die Arme zur Decke.

Leon stand neben mir. Ich hielt seine Hand, und während wir unsere Freude in die Welt hinausschrien, dachte ich an den *Alten Fritz*. Ich dachte an den Iglu in der nächtlichen Steppe. An unser Geheimversteck, an die P 51 Twin Mustang, die dort nur für uns stand, und dann flog ich mit meinem besten Freund noch mal wie in zwei vergoldeten Silberpfeilen direkt in den Sonnenuntergang. Heiliger Muckefuck! Das war mein Tag.

# Der Scout

Ja, und was für ein Tag das war. Nach der Siegerehrung bat der Hallensprecher noch mal um Ruhe und sofort war es still. Mucksmäuschenstill. Jeder wusste sofort, um was es jetzt ging, und jeder war, wenn auch aus unterschiedlichen Gründen, bis zum Zerbersten gespannt.

Leon trat neben mich. Er sagte kein Wort, aber ich spürte, wie er die Fingernägel in seine Handballen grub. Fingernägel, die ich nicht mehr hatte. Ich hatte sie abgenagt. In den Pausen, während die anderen *Wilden Fußballkerle* den Spielen der Gegner zuschauten, hatte ich nur ihm zugeschaut: dem hageren Mann mit der Adlernase und den dunklen Augen. Dem, der jetzt vor uns trat: dem Scout der *Bayern*.

»Ich bin mir sicher, dass jeder weiß, wer ich bin«, sagte er mit eisiger Stimme. »Und ich bin mir auch sicher, dass jeder weiß, worum es jetzt geht.«

»Kacke verdammte!«, zischte Leon. »Ist der arrogant!«

Ich zuckte zusammen. Verflixt! Ich hatte eine ganz andere Meinung. Ich fand den Scout cool.

»Ja, und damit sich auch niemand von euch ärgern muss, nenn ich nur den, den ich ausgewählt hab. Die Entscheidung war nämlich sehr knapp.«

Ein letztes Raunen flog durch die Halle und löste sich wie Zigarettenqualm auf. Wie der Qualm von Willis Zigarette, die er sich vor Aufregung angesteckt hatte, obwohl hier striktes Rauchverbot galt. Ja, und als Raban ihn darauf aufmerksam machte, lief er erschrocken aus der Halle raus. Der Scout sagte kein Wort. Er wartete geduldig, bis Willi verschwunden war, so als käme ihm das gerade recht. Dann erst nannte er den Namen: »Fabi Bau ist der Topspieler dieses Turniers.«

Der Satz traf mich wie ein Schlag von Mike »Iron Man« Tyson frontal gegen die Stirn. Ich fühlte, wie Leon sich von mir abwandte, doch ich sah es nicht. Ich trat schon aus der Traube der *Wilden Fußballkerle* heraus und ging zum Scout vor.

»Ich gratulier dir, Fabi Bau!«, sagte er und gab mir den kleinen Pokal.

»Und ich erwarte dich übermorgen, am Montag, um 16 Uhr 30 beim Training der U 10. In der Säbener Straße. Auf dem Kunstrasenplatz des *FC Bayern*-Geländes.«

Ich nickte. Ich konnte nichts sagen. Ich nahm nur den kleinen Pokal, und während die ganze Halle aufstand und mir applaudierte, hob ich ihn hoch in die Luft.

»Heiliger Muckefuck! Leon! Ich hab es geschafft!«

Da sah ich in Leons Gesicht. Es war vor Schock kreidebleich und deshalb rannte ich los. Ich rannte an Leon und den *Wilden Kerlen* vorbei. Ich floh vor ihren Blicken aus der Halle hinaus. Doch die Zuschauer hielten meine Panik für Freude. Ihr Beifall brauste noch einmal auf. Es war ein ohrenbetäubender Lärm. Ich konnte ihn nicht mehr ertragen und schlug die Hallentür hinter mir zu.

# Top oder Flop

Im Kabinengang blieb ich stehen. Ich stemmte mich mit dem Rücken gegen die Tür. Ich wollte verhindern, dass mich der Applaus mit seinen Monsterkrallen packen und zurückzerren würde. Zurück zu Leon und zu seinem kreidebleichen Gesicht.

»Ich will nicht, dass sich etwas verändert!« Genau das hatte mir Leon gesagt. »Ich will, dass wir immer zusammenbleiben!« Das hatte Leon gesagt. Gestern. In unserem Geheimversteck. In der P 51 Twin Mustang. Und ich hatte gelacht.

»O Mann! Und au Backe! Leon, natürlich bleiben wir das. Wir bleiben zusammen, bis wir als die *Wilden Mumien* bei der Altersheim-Stadtmeisterschaft spielen.«

Und so und nicht anders hatte ich es auch gemeint.

Ich schnappte nach Luft, doch es war keine da. Verflixt! Kapiert ihr das nicht? Genauso hatten wir heute gespielt. Das hatte ich selber gesagt und

Willi hatte es noch mal bestätigt. Ja, erinnert ihr euch? Es war nach der Niederlage gegen den *SV 1880* im letzten Vorrundenspiel. Leon hatte mich gerade gefragt, was ich vom Scout der *Bayern* wollte.

»Was willst du von dem? Der ist von den *Bayern*!«

Und ich war so wütend gewesen.

»Da hast du Recht!«, hatte ich geschnauft. »Und wir sind die *Wilden Mumien* auf dem Weg zur Altersheim-Stadtmeisterschaft!«

Hippelpott und Tamuskiste! Wie heißt dieses Schimpfwort von Raban, dem Held? Jetzt helft mir doch mal! Beim Schottenmottenalptraumschrank! Ich muss jetzt was Lustiges machen. Ich muss jetzt … Ich will nicht … Hatschi-Rizinus-Uups!

Ich spürte, wie jemand den Türknauf drehte, um die Tür von der Hallenseite zu öffnen. Da floh ich in die Kabine. Ich wollte nur raus! Raus aus der Halle! Auf die Straße! Nach Haus! Doch in der Umkleide saß Willi neben meinem Platz auf der Bank.

»Ich gratulier dir, Fabi!«, begrüßte er mich. »Und ich bitte dich um Verzeihung, dass ich aus der Halle hinausgerannt bin. Das war sehr respektlos von mir.«

Er schaute auf den kleinen Pokal, der an meiner

herabgesackten Hand wie etwas ganz Wertloses hing.

»Du solltest ihn besser behandeln. Weißt du, du kannst stolz auf ihn sein.« Willi sah mir direkt in die Augen. »Du hast ihn dir heute wirklich verdient!«

»Danke!«, flüsterte ich und stopfte den Pokal in meine Tasche.

»Obwohl, . . . ich hab damit gerechnet, dass Leon ihn kriegt! Ist das nicht komisch? Manchmal wusste ich gar nicht, wer wer von euch war.«

»Ach ja!«, zischte ich und stopfte meine Klamotten gleich hinterher.

Ich zog mich gar nicht erst um. Ja, ich wusste, draußen ist Winter, aber ich wollte einfach nur weg.

»Und was meinst du?«, blitzte ich Willi an. »Was hätte Leon an meiner Stelle gemacht?«

Willi zuckte die Achseln.

»Ich weiß nicht. Frag ihn doch selbst.«

Ich fuhr erschrocken herum. Leon stand an der Spitze der anderen *Wilden Kerle* hinter mir in der Tür.

»Ich hätte ihm den Pokal zurückgegeben!«, zerschnitt Leons Stimme die Stille. Er sah mich herausfordernd an. »Das hätten wir alle getan.«

Ich stand da wie versteinert.

»Oder hast du vergessen, was Rocces Vater gesagt hat, als wir vor seiner Terrasse im Himmelstor standen?«

Nein, das hatte ich nicht. Das würde ich niemals vergessen. Damals, als wir Rocce zu den *Wilden Fußballkerlen* zurückholen wollten, weil er nicht bei uns, sondern nur bei den *Bayern* spielen durfte. Damals hatte Rocces Vater, der große Giacomo Ribaldo, der brasilianische Fußballstar des *FC Bayern*, uns ausgelacht: ›Ihr seid doch überhaupt keine Mannschaft! Ihr seid doch nur ein paar herumkickende Jungs!‹

Das hatte er uns tatsächlich gesagt.

Doch wir hatten es ihm gezeigt. Wir hatten die *Bayern* herausgefordert. Leon und Felix hatten eine Satzung geschrieben und Marlon hatte Spielerverträge gemalt, die wie Piratenschatzkarten aussahen. Ja, und die hatten wir dann unterschrieben, mit unserem eigenen Blut. Die Verträge und die Satzung mit dem ganz entscheidenden Punkt Nummer 5:

›Wer die *Wilden Kerle* jemals verlässt, der ist ein Verräter.‹

Selbst Willi hatte das unterschrieben und er hatte dabei gestöhnt: »Puh! Das ist absolut ernst!«

Aber so ernst hatten wir es auch alle gemeint. Und ich, Fabi Bau, der schnellste Rechtsaußen der Welt, der Wildeste unter Tausend, Leons absolut bester Freund, hatte Maxis Vater, dem Banker, ein Angebot gemacht, das er nicht ablehnen konnte, um unsere nigelnagelneuen nachtschwarzen *Wilde Fußballkerle*-Trikots zu bezahlen. Heiliger Muckefuck! War das jetzt wirklich alles vorbei? War das wirklich mein Tag?

»Was ist?«, fragte Leon eiskalt. »Was wirst du machen? Bleibst du bei uns oder hast du es so eilig zu den *Bayern* zu kommen, dass du dich noch nicht einmal umziehen kannst?«

Leons Blick war Feindseligkeit pur. Ich schaute zu Willi. Was sollte ich tun? Doch Willi zuckte verlegen die Achseln. Diese Entscheidung konnte er mir beim besten Willen nicht abnehmen. Das war meine Angelegenheit. Mein Leben. Mein Schicksal. Das wusste ich, doch ich hatte auch Angst.

›Wer die *Wilden Kerle* jemals verlässt, der ist ein Verräter.‹

Leon stand da und wartete auf eine Antwort. Irgendwen müsste ich jetzt enttäuschen. Leon oder verflixtnochmal ...! Leon ... oder ... wen sonst? Ich wusste es plötzlich nicht mehr und deshalb lachte ich.

Es war der Versuch eines Lachens und er war Lichtjahre von meinem unwiderstehlichen Lächeln entfernt. Aber ich war doch Fabi, der Hakenspezialist. Ich flutschte aus jeder Klemme heraus. Ich hatte doch sonst für alles eine Lösung parat. Selbst an den unangenehmen Folgen meiner listigen Tricks kam ich meistens ungeschoren vorbei. Ja, und deshalb lachte ich jetzt und ich hob meine Hand.

»Alles ist gut!«, lachte ich und Leon schlug ein.

»Solange du wild bist!«, antwortete er und sah mir tief in die Augen.

Ich hörte, wie der Felsbrocken von seiner Brust fiel.

KAWUMMS!

Das war ein gutes Geräusch. Ja, und wie gut das war! Ich kramte meine Klamotten aus der Tasche heraus, wir zogen uns um und dann liefen wir geschlossen und triumphierend wie richtige Sieger aus der Halle hinaus.

## Schmetterlingsjagd

Draußen auf der Straße verabschiedete sich Willi von uns. »Das war ein wilder Tag!«, lachte er und setzte sich auf sein Mofa. »Verfluchte Hacke! Ihr könnt stolz auf euch sein!«

»Beim fliegenden Orientteppich! Will-ha-hilli!«, lachte Deniz, die Lokomotive.

»Und ob wir das sind!«, rief Felix, der Wirbelwind, und wurde ganz groß. Mindestens zwei Köpfe größer, als er in Wirklichkeit war.

»Ja, dampfender Teufelsdreck!«, zischte Markus, der Unbezwingbare, und ballte die Faust.

Willi nickte zufrieden.

»Ja, so ist es gut«, schmunzelte er. »Und vergesst nicht, was ich euch heute gesagt hab: Ein Boxer schließt niemals die Augen. Egal, was passiert! Und das ist ganz wichtig: Angst haben darf jeder. Jeder! Habt ihr gehört? Aber traut euch und schaut der Gefahr ins Gesicht.«

Willi machte eine Pause. Er musterte Leon und mich. Wir standen direkt nebeneinander.

»In einer Woche geht's zur Hallen-Stadtmeisterschaft«, fuhr Willi fort. »Und zu den 20 besten
Mannschaften von München gehören natürlich
die *Bayern*.«

Ich zuckte zusammen. Ich spürte, dass Leon das
sah. Er schaute mich an. Meine rechte Wange war
schon ganz heiß und auch Willi beobachtete mich.
Dann fuhr er Gott sei Dank los. Sein altes, zer-
beultes Mofa ratterte, pupste und schlidderte über

das Eis. Es sah aus, als würde Willi einen Mustang zureiten. Einen Mustang, der Blähungen hat, und während Willi alle Hände voll zu tun hatte, um im Sattel zu bleiben, rief er zu uns zurück: »Wir sehen uns am Montag beim Training. In der Geheimhalle. Im Wilden Wald!«

»Und nicht in der Säbener Straße. Nicht auf dem Kunstrasenplatz! Nicht auf dem *FC Bayern*-Gelände«, führte ich seinen Satz in Gedanken fort und hörte die Stimme des Scouts.

Die anderen *Wilden Kerle* verabredeten sich für den Nachmittag. Sie brannten darauf, ihre Fahrräder in winter- und glatteistaugliche Maschinen umzubauen. Die Ideen und Pläne sprudelten nur so aus ihnen heraus und normalerweise wäre ich der Erste gewesen, der dabei mitgemacht hätte. Doch heute hatte ich keine Zeit. Ich wollte keine Zeit haben, versteht ihr? Ich wollte einfach nach Haus.

»Alles ist gut!«, rief ich deshalb ganz schnell, und bevor Leon antworten konnte, raste ich auf meinen Speedway-Motorrad-Spikes uneinholbar davon.

Ich fuhr so schnell, wie ich konnte. In den Kurven rutschte ich mit dem Knie übers Eis. Der Lenker stand quer, um gegenzulenken. Ich benutzte die Schneeberge an den Straßenrändern als

Schanzen und tanzte durch die Schlittschuh laufenden Briefträger wie durch Slalomstangen hindurch.

Heiliger Muckefuck! Das war echt wild! Mir ging es schon wieder gut! Ich dachte an gar nichts mehr. Ich flog einfach nur über das Eis, so wie ich über den Fußballplatz flog, wenn ich als Fabi, der schnellste Rechtsaußen der Welt, die Schallmauer durchbrach.

Da heftete sich doch noch jemand an meine Fersen und dieser Jemand ratterte, pupste und schlidderte nicht übers Eis. Dieser Jemand hoppelte auch nicht auf einem uralten Mofa wie auf einem bockigen Muli herum. Dieser Jemand schwebte in einem anthrazit-metallicfarbenen Audi A 8 hinter mir her und ein kurzer Blick in den Motorradrückspiegel meines Speedway-Fahrrads genügte, um zu erkennen, dass er mich herausfordern wollte.

Ich gab noch mal Gas. Ich trat in die Pedale. Mein Fahrrad bäumte sich unter mir auf und dann schoss ich Vollspeed in die 90-Grad-Kurve hinein. Ich legte mich quer, rutschte auf den Gartenzaun zu und stemmte mich erst im allerletzten Augenblick, kurz vor der Kollision mit dem Garagentor, mit dem Knie wieder hoch. Doch der Audi war schneller. Majestätisch wie ein Luftkissenboot rutschte er um die Kurve herum, holte auf und zog, als wäre er für das Glatteis gebaut, mühelos an mir vorbei. Doch ich gab nicht auf. In der nächsten Kurve griff ich ihn an, zog am Audi vorbei und nutzte die Fliehkraft, die mich aus der Kurve hinaustreiben wollte, um über die nächste Schanze in die nächste Kurve, direkt in den Fasanengarten zu springen.

Dort, genau zwischen dem Haus meiner Mutter und dem von Joschka, der siebten Kavallerie, und Juli »Huckleberry« Fort Knox, wirbelte ich auf der Hinterachse herum. Der Audi rollte direkt auf mich zu, doch als mein Vorderrad auf die Straße aufschlug, kam er ohne Rutschen und Bremsen ganz cool und höchstens eine Handbreit vor dem Rad zum Stand.

Ich schaute dem Fahrer direkt ins Gesicht. Er hatte ganz dunkle Augen und seine Adlernase passte zu seiner Biberfellmütze, als wäre er Daniel Boone. Dann stieg der Scout aus.

»Nicht schlecht!«, grinste er. »Nicht schlecht, Fabi, schnellster Rechtsaußen der Welt.«

Ich schluckte. Ich lächelte. Ich mochte den Mann.

»Aber Geschwindigkeit ist nicht alles«, fuhr er fort. »Wie viele Briefträger hast du auf dem Rückweg gesehen?«

»Wie bitte? Was?« fragte ich. »Sieben! Wieso?«
Der Scout runzelte skeptisch die Stirn.

»Oh, nein, 'tschuldigung: es waren acht«, verbesserte ich mich sofort. »Sieben auf Schlittschuhen und einer, der auf den Po geknallt war. Er wurde im Rollstuhl geschoben.«

Ich grinste. Der Scout nickte ganz kurz.

»Und was steht auf meinem Nummernschild?«, fragte er.

Ich schaute auf die Stoßstange des Audis, doch der Talentsucher der *Bayern* stand direkt davor.

»Das ist nicht fair«, beschwerte ich mich. »Ich hab es nur einmal ganz kurz gesehen.«

»Versuch es trotzdem!«, lächelte er. »Erinnere dich!«

Ich blitzte ihn an. Was sollte der Mist? Da fiel mir der erste Buchstabe ein.

»F!«, sagte ich und plötzlich war es ganz klar. »F, Bindestrich, C, B, 7, 0, 7.«

Ich freute mich: »Das war kinderleicht.«

»Nein. Das war es nicht«, widersprach mir der Scout. »Du kannst es nur gut.«

»Ja, vielleicht. Aber Leon kann so was auch. Wir geben sogar den Ratten in der Steppe dieselben Namen. Beim Zählen, mein ich.«

Der Scout musterte mich überrascht. »Wie meinst du das?«

Ich sah ihm direkt in die Augen. Ich zögerte. Ich wusste nicht, was mich trieb. Aber ich wollte es wissen. Ich holte ganz langsam Luft.

»Warum ich?«, fragte ich leise, aber bestimmt. »Warum nicht Leon? Er war genauso gut.«

»Nein. Das ist falsch«, widersprach mir der Scout. »Leon war besser.«

Ich schluckte. Das war verflixt ehrlich und hart.

»Warum dann ich?«, wiederholte ich meine Frage. »Leon und ich sind ein Team. Die Goldenen Twins. Ohne Leon bin ich noch weniger wert.«

»Glaubst du das wirklich?«, fragte der Scout. Er war richtig entsetzt.

»Ich weiß nicht!«, stammelte ich. »Aber Leon und ich, wir sind Freunde!«

»Ach ja? Was du nicht sagst!«, wunderte sich der Mann mit der Adlernase. »Seid ihr das wirklich?«

Ich zuckte erschrocken zusammen. »Wie meinen Sie das?«

»Ich will wissen, wozu du so einen Freund brauchst!«, wiederholte der Scout.

»I-i-ich verstehe k-kein Wort!«, stotterte ich.

»Und ob du das tust!«, konterte er. »Wie war das denn heute auf dem Turnier? Ich hatte den Eindruck, dass du dich darüber gefreut hast, dass du Topspieler wurdest. Du wolltest es unbedingt, hab ich Recht? Ich hab deine Blicke gesehen. Du hast mich die ganze Zeit über beobachtet. Aber du hast es heimlich gemacht. Und dann, als ich dich ausgewählt habe, hast du dich plötzlich geschämt.«

Ich schwieg. Ich biss an meinen Fingernägeln herum, doch der Scout ließ nicht locker.

»Warum?«, fragte er mich so dunkel und tief wie seine Augen. »Warum hast du Angst, so einen Freund zu verlassen? So einen Freund und so eine Mannschaft, die dich daran hindern, das zu sein, was du willst: der Beste und Wildeste? Das willst du doch, oder?«

Ich nickte und dann schüttelte ich sofort den Kopf.

»Aber es sind meine Freunde. Die *Wilden Fußballkerle*. Wir wollten für immer zusammenbleiben. Wir haben es alle geschworen.«

»Und kannst du das?«, fragte der Scout. »Willst
du das?«

Ich nickte und ich schüttelte wieder den Kopf.

»Warum ich?«, flüsterte ich. »Und warum nicht
Leon? Warum nicht wir beide zusammen?«

»Weil Leon ein Felsen ist, Fabi!«, erklärte der
Scout. »Er steht und bleibt dort, wo er ist. Die
Leute kommen zu ihm, verstehst du? Aber du bist
anders als er. Du bist ein Schmetterling. Du bist
neugierig, Fabi. Neugier ist deine Kraft. Du
brennst darauf, die Welt zu entdecken. Du hast
nur Angst vor dem Wind. Das ist alles. Du hast
Angst vor dem, was passiert, wenn du den Felsen
verlässt. Aber ich verspreche es dir: du wirst noch
vielen von ihnen begegnen, und wenn du das tust,
dann wirst du der Beste. Deshalb hab ich dich
heute gewählt.«

Der Mann mit der Biberfellmütze lächelte und
sein Lächeln steckte mich an. Er sah plötzlich wie
ein echter Pfadfinder aus.

»Denk mal in Ruhe darüber nach!«, sagte er.
»Und dann kommst du, wenn du willst, am Montag zum Training.«

Er winkte mir zu, stieg in den Audi A 8 und preschte davon. Ich sah ihm nach. Eiswasser und Schnee spritzten hinter ihm auf und ließen die anthrazitfarbene Limousine wie einen Geisterwagen verschwinden.

»Und? Was wirst du jetzt tun?«, stieß sich eine Stimme wie ein Messer in meinen Rücken hinein.

Ich fuhr erschrocken herum und starrte in das Gesicht von Juli »Huckleberry« Fort Knox. Die Viererkette in einer Person und sein Bruder Joschka, die siebte Kavallerie, saßen auf ihrem Fahrrad mit Beiwagen und schossen durch ihre Motorradbrillen hindurch Laserblicke auf mich ab.

»Was ist? Bist du ein *Wilder Kerl* oder ein Schmetterling?«, fragte mich Joschka todernst.

Ich starrte sie an. Ich wollte, doch ich konnte nichts sagen.

Da antwortete Juli für mich: »Er ist ein Schmetterling, Joschka. Und ein Verräter! Oder irre ich mich, Fabi Bau?«

»Ja. Natürlich tust du das!«, wollte ich schreien. Doch ich konnte es nicht. Ich packte mein Fahrrad und flüchtete damit vor meinen Freunden in den Garten meiner Mutter hinein.

# Taschenlampen-Leuchtturmnacht

Noch nach Mitternacht war ich wach. Ich konnte nicht schlafen. Ich lag auf meinem Bett und ließ den Lichtkegel meiner Taschenlampe durchs Zimmer kreisen. Ein Schatz nach dem anderen leuchtete auf. Ich fand alles, was mein fast zehnjähriges Leben bisher ausgemacht hatte.

Doch jedes Mal, wenn der Taschenlampen-Leuchtturm seine Drehung vollendete, traf sein Lichtstrahl den kleinen Pokal, die Topspielertrophäe, in meiner Hand und ihr gigantischer Schatten verdunkelte alles: den Piratenschatzkarten-Spielervertrag, der eingerahmt an der Wand hing.

Das *Wilde Fußballkerle*-Trikot am Kleiderhaken daneben. Die Fotografien von Leon und mir und die unzähligen Flugzeugmodelle an der Decke. Ja, selbst die beiden vergoldeten Silberpfeile, die Rennautos mit Flügeln, die ich selbst konstruiert hatte und in denen ich in meiner Fantasie so oft zusammen mit Leon in den Sonnenuntergang geflogen war. All das wurde vom Schatten verschluckt, vom Schatten des kleinen, im Schein des Taschenlampen-Leuchtturms funkelnden Pokals.

Da kam meine Mutter ins Zimmer und setzte sich auf mein Bett.

»Was ist los?«, fragte sie, doch ich wusste nicht, wo ich anfangen sollte.

Gestern war noch alles in Ordnung gewesen. Gestern, beim Geheimhallentraining, als Leon sein hasta-la-vista-bombastisches Fallrückziehertor schoss. Wisst ihr das noch? Danach liefen wir Arm in Arm durch die Halle und in der P 51 Twin Mustang versprachen wir uns für immer zusammenzubleiben. So lange, bis wir als die *Wilden Mumien* bei der Altersheim-Stadtmeisterschaft spielen. Ja, selbst heute noch, nach dem Turniersieg, standen wir nebeneinander und schrien unsere Freude zur Tribüne hinauf.

»Was ist los?«, fragte meine Mutter noch mal. »Willst du darüber nicht reden?«

»Nein!«, antwortete ich.

»Und warum?«, hakte sie vorsichtig nach.

»Ich trau mich nicht!«, wehrte ich mich.

»Okay!«, nickte sie. »Wie du willst. Aber geht es dir, wenn du schweigst, besser?«

Ich schüttelte leise den Kopf.

»Also, warum tust du's dann?«, lächelte sie und im selben Moment schoss es auch schon aus mir heraus.

»Warum hast du dich von Papa getrennt?«

»Wie meinst du das, Fabi?«, fragte meine Mutter verwundert. »Das hab ich dir doch so oft gesagt! Wir haben uns nicht mehr verstanden.«

»Nein, das meine ich nicht!«, rief ich. »Ich will was anderes wissen. Ich will wissen, woher du wusstest, dass es das Richtige war?«

Ich schaute sie erwartungsvoll an.

»Ich meine, woher wusstest du, dass das, was danach kommt, besser und richtiger ist?«

Jetzt war es meine Mutter, die schwieg.

»Mama, ich bitte dich!«, bestand ich auf einer Antwort. »Es ist wichtig. Absolut wichtig, hörst du!«

»Ich weiß«, seufzte meine Mutter. »Aber ich wusste es nicht. Fabi, niemand kann so etwas wissen.«

»Und warum hast du es dann gemacht?«, fragte ich.

»Weil ich es, wenn ich es nicht getan hätte, dir und deinem Vater vorgeworfen hätte. Und das mein Leben lang.«

Ich wischte mir meine Tränen aus dem Gesicht.

»Dann bist du auch ein Schmetterling. Genauso wie ich?«

»Ja, und ich hab mich viel zu lange nicht getraut zu fliegen«, nickte meine Mutter.

»Aber Papa? Was ist mit ihm?« Das musste ich wissen. »Ist er böse auf dich?«

»Er ist sehr traurig gewesen«, antwortete meine Mutter. »Aber niemand kann einen Menschen zwingen zu bleiben. Nicht, wenn er gehen will.«

»Auch nicht mit einem Spielervertrag?«, fragte ich.

»Nein. Auch nicht mit Spielervertrag«, lächelte sie und deckte mich zu. »Aber du darfst nichts heimlich machen, hörst du? Wenn du Abmachungen brichst, musst du es den anderen sagen. Unbedingt musst du das. Sonst werden sie dir das niemals verzeihen.«

»Ich weiß«, nickte ich. »Dann bekomm ich den Schwarzen Punkt.«

»Und den hast du dann auch wahrhaftig verdient«, grinste meine Mutter und gab mir einen Kuss. »Gute Nacht!«

»Gute Nacht!«, sagte ich.

Ich reckte und streckte mich und wickelte mich in meine Decke. Ja, und zum ersten Mal hielt ich den kleinen Pokal ganz fest und ganz stolz in der Hand.

# Eishockeyfußball

Damit war die Entscheidung gefallen. Ich, Fabi Bau, der schnellste Rechtsaußen der Welt, würde in Zukunft beim *FC Bayern* spielen. Auch wenn ich nicht wusste, ob das besser oder richtiger war. Schließlich hatte ich es von Beginn an gewollt. Von dem Moment an, als ich zum ersten Mal, im Gang zur Kabine vor dem Hallenturnier, vom Scout gehört hatte.

Doch ich verstieß auch gegen Punkt fünf unserer Satzung:

›Wer die *Wilden Kerle* jemals verlässt, der ist ein Verräter.‹

Ja, Juli hatte es schon gesagt und deshalb war das mit dem »Du darfst es auf keinen Fall heimlich machen!« gar nicht so leicht. Zumindest am nächsten Morgen nicht, als die Nacht vorbei war und sich alle *Wilden Fußballkerle* in der Werkstatt von Leons und Marlons Mutter trafen. Sie wollten ihre Fahrräder in wintertaugliche Maschinen umbauen. Das wisst ihr doch noch und ich hatte das auch nicht vergessen. Bei solchen Aktionen arbeitete ich normalerweise an vorderster Front. Zusammen mit Marlon, der Intuition, und Juli »Huckleberry« Fort Knox hatte ich immer die besten Ideen. Aber an diesem Sonntag blieb ich zu Hause. Ich traute mich nicht. Ich färbte stattdessen meine Fußballschuhe neu ein. Ich wollte, dass sie bei meinem ersten Training beim *FC Bayern* ganz besonders aussahen. Ja, und deshalb zuckte ich jedes Mal, wenn das Telefon klingelte, erschrocken zusammen. Doch ich hatte verflixt noch mal Glück. Keiner der *Wilden Kerle* rief an. Auch Leon nicht.

Dann kam der Montag und ich musste zur Schule. Ich nahm den Piratenschatzkarten-Spielervertrag von der Wand und aus dem Bilderrahmen heraus. Ich rollte ihn vorsichtig ein.

Heiliger Muckefuck! Das war vielleicht schwer! Ich hatte ihn mit meinem Blut unterschrieben. Damals, vor dem Match gegen die *Bayern*, gegen die Mannschaft, in der ich jetzt unbedingt mitspielen wollte und für die ich meine Freunde verließ. Ich zögerte immer wieder, doch dann steckte ich den Vertrag in den Ranzen hinein. Ja, ich musste ihn heute zurückgeben und deshalb sagte ich beim Frühstück kein Wort. Auch meine Mutter schwieg.

Sie wusste, was mir bevorstand, doch als ich um Viertel vor acht noch immer nicht aufstehen wollte, warf sie mich aus dem Haus.

Mühelos erreichte ich dank ihrer Speedway-Motorrad-Spikes und trotz der vereisten Straßen die Schule. Ich stellte mein Fahrrad im Unterstand vor dem Pausenhof ab und ich hatte es dabei so eilig, ich war so nervös, dass ich die umgebauten Fahrräder der *Wilden Kerle* überhaupt nicht bemerkte.

Die kickten bereits auf dem Hof. Eishockeyfußball nannten wir das und es war besser als das erste Training mit Willi auf der Wiese am Fluss. Könnt ihr euch noch an diese Schlammschlacht erinnern? An die Steine, die Pfützen und den Tennisball, mit dem wir in viel zu großen Gummistiefeln herumkicken mussten. Heiliger Muckefuck! Aber wir hatten den Dicken Michi besiegt. Wir hatten den *Teufelstopf* gegen seine *Unbesiegbaren Sieger* verteidigt und der Hexenkessel aller Hexenkessel, das Stadion der *Wilden Fußballkerle e. W.*, das damals noch keine Flutlichtanlage besaß und ganz einfach Bolzplatz hieß, gehörte seitdem und für immer nur uns.

Ja, und deshalb zögerte ich keine Sekunde, als mich Raban, mein Freund Raban, begrüßte und mich darum bat, in seiner Mannschaft zu spielen.

Seite an Seite stürmte ich mit Leon über das Eis. Der Puck flutschte im Dauerdoppelpass durch die Beine unserer Gegner hindurch und selbst Juli »Huckleberry« Fort Knox, die Viererkette in einer Person, konnte dagegen nichts tun. Wir waren einfach zu gut. Und als Krönung, als ich allein vor Markus, dem Unbezwingbaren, stand, passte ich zu Raban zurück und der schoss die schwarze Scheibe ins Tor.

»Alles ist gut!«, triumphierte Raban.

»Ja, solange du wild bist!«, antwortete ich und schlug zum High Five ein.

»Worauf du Gift nehmen kannst!«, raunte der Junge mit der Coca-Cola-Glas-Brille.

Dann ertönte der Gong, und als ob nichts passiert wäre, als ob alles so wäre, wie es immer schon war, stürmte ich an der Seite von Leon und den anderen *Wilden Kerlen* in unsere Klassenzimmer hinein. Auch in der großen Pause um zehn spielten wir Eishockeyfußball und in der zweiten um zwölf. Leon und ich, wir waren einfach unschlagbar. Wir waren die Goldenen Twins und beim letzten Torjubel verabredeten wir uns, gemeinsam zum Geheimhallentraining zu fahren. Um Punkt vier Uhr. Zur selben Zeit, zu der ich zu den *Bayern* aufbrechen musste.

Verflixt! Was sollte ich tun? Meine Mutter hatte es mir doch gesagt: »Wenn du Abmachungen brichst, musst du es den anderen sagen. Unbedingt musst du das. Sonst werden sie dir das niemals verzeihen.« Und genau das hatte ich heute Morgen geplant. Aus genau diesem Grund lag der Piratenschatzkarten-Spielervertrag zusammengerollt in meinem Schulranzen. Ich hatte ihn zurückgeben wollen und ich wollte es noch. Ja, das nahm ich mir jetzt ganz fest vor. Direkt nach der Schule würde ich es tun. Und dann würde ich Leon und die anderen bitten, dass sie mich von meiner Blutsbrüderunterschrift und meinem *Wilde Kerle*-Schwur endlich befreien.

Doch dann zog der Nebel auf. In der sechsten Stunde, natürlich während des Handarbeitsunterrichts, fiel er plötzlich vom Himmel und er wurde so dicht, dass man nur noch zwei Meter weit sehen konnte. Und auch ich wusste nicht mehr genau, was ich wollte. Vielleicht gefiel es mir bei den *Bayern* gar nicht. Ich wusste es nicht. Ich wollte es doch nur einmal ausprobieren. Man weiß nie, ob es besser und richtiger ist, was dann kommt. Das hatte meine Mutter genau so gesagt und vielleicht kehrte ich ja danach zu den *Wilden Fußballkerlen* zurück. Ja, und wenn nicht, dann hatte ich noch immer genug Zeit, um es ihnen zu sagen.

Deshalb rannte ich los. Sobald der Schulgong ertönte, packte ich meine Sachen und stürzte aus dem Klassenzimmer hinaus.

»Wir sehen uns heute beim Training!«, rief ich Leon, der neben mir saß, gedankenlos zu. Dann verschwand ich über den Pausenhof und mit meinem Fahrrad im Nebel.

# Die beste Mannschaft der Stadt

Im Schutz desselben Nebels verließ ich um 15 Uhr 55 das Haus meiner Mutter im Fasanengarten Nr. 4. Ich hörte schon die Stimmen von Juli und Joschka im Haus schräg gegenüber, wie sie ihr Beiwagenfahrrad bestiegen.

»Nein, Mama! Du musst keine Angst haben!«, seufzte Juli genervt.

»Wir gehen doch nur zum Fußballtraining!«, fügte Joschka hinzu. »Und wir kennen den Weg.«

»Wir müssen nur durch die Stadt und dann durch die Magische Furt, durch den Wilden Wald mit seinen Schluchten und Klippen und über die Gespensterbrücke durch das Fauchende Tor.« Juli beschrieb seiner Mutter den Weg, als würde er bei sonnigstem Wetter um die Ecke zum Bäcker fahren.

»Ja, und bitte mach dir keine Sorgen wegen des Nebels oder des Glatteises, Mama«, grinste Joschka. »Unser Fahrrad ist jetzt ein Beiwagenglatteis-und-Buckelschneedampfer und der Weg ist absolut einfach.«

»Ja, selbst Maxis Vater hat ihn gefunden«, setzte Juli noch einen drauf. »Auf seinem Höllentrip in der Horrorgruselnacht.«

»Ja, und das bei aller touristischen Tellergans, die er nicht besitzt!«, lachte Joschka und dann schrie er auf. »Autsch!«

Ich hörte die Kopfnuss, die Juli ihm gab.

»Das heißt Intelligenz«, schimpfte er. »Extra touristische Intelligenz! Wann kapierst du das endlich, du Dumpfbruderbacke?«

»Das heißt Dumpfbackenbruder!«, konterte Joschka und gab die Kopfnuss zurück.

Ich lachte mich tot. Lautlos natürlich, denn obwohl ich nichts sah, konnte ich mir alles ganz genau vorstellen. Das freche, hinterlistige Grinsen von Juli und Joschka und den verzweifelten, hilflosen Blick ihrer Mutter. Aber was sollte sie angesichts dieser beiden *Wilden Kerle* nur tun? Hatschi-Rizinus-Uups oder wie Raban das so gerne sagt: Wir waren schon eine hasta-la-vista-bombastische Gang. Und mit diesem lautlosen Lachen schob ich mein Fahrrad auf die Straße hinaus, schwang mich in den Sattel und fuhr im Schutz des Nebels aus dem Fasanengarten hinaus, kurz bevor ihn die *Wilden Fußballkerle* am anderen Ende erreichten. Ich hörte das Schaben und Kratzen ihrer wintertauglichen Maschinen. Heiliger Muckefuck! Ich hätte sie zu gern gesehen. Aber ich musste fliehen. Ich floh vor Leons Gesicht. Dem Gesicht, das er machen würde, wenn er vor meiner Mutter stand und mich abholen wollte.

Eine halbe Stunde später schälte sich ein glühender Punkt aus dem Nebel heraus. Wie das Auge eines Zyklopen starrte das rotblaue Bayernlogo auf mich herab. Dann fuhr ich durch das Tor auf das Trainingsgelände in der Säberner Straße, stellte mein Fahrrad brav ab, schulterte meinen *Wilde Kerle*-Rucksack, den mit den gekreuzten Knochen darauf, und machte mich auf die Suche nach der U 10.

Das war gar nicht so einfach, wisst ihr. Auch hier herrschte der dichteste Nebel. Auch hier sah man keine zwei Meter weit und ich fragte mich wirklich, wo die *Bayern* hier draußen trainierten. Egal wie groß und mächtig ihr Verein war. Der Nebel war stärker als sie. Das Training war abgesagt. Ja, ganz bestimmt, und wenn ich mich jetzt ganz arg beeilte, kam ich noch rechtzeitig zur Geheimhalle und zu meinen Freunden in den Wilden Wald.

»Nur noch ein paar kleine Schritte«, dachte ich, »dann kehre ich um.« Da begann der Nebel vor mir zu leuchten und ein paar Meter weiter öffnete er sich zu einer riesigen Kuppel. Die spannte sich über den Kunstrasenplatz. Ich weiß nicht, wie die *Bayern* das machten, aber es war Wirklichkeit, so wie das Fußballorakel in der Silvesternacht, und mitten in dieser unglaublichen Wirklichkeit begann die U 10 gerade mit ihrem Training.

Ich zögerte. Heiliger Muckefuck! Das war wirklich die beste Mannschaft der Stadt. Das sah man sofort. Nein, es war die beste Mannschaft von Deutschland und vielleicht sogar das beste Team auf der Welt. Das glaubte ich jedenfalls in diesem Moment und deshalb ging ich ganz unsicher in die Nebelkuppel hinein.

»Hey. Da bist du ja, Fabi!«, begrüßte mich der Trainer, als gehörte ich schon immer zur Mannschaft dazu. »Los, schnapp dir 'nen Ball! Das Training hat vor zwei Minuten begonnen.«

Ich zuckte zusammen. Verflixt! Das fing ja gut an. Das erste Training und ich kam zu spät! Und weil ich so aufgeregt war, vergaß ich den Rucksack auf meinem Rücken. In Straßenschuhen lief ich auf den Platz, holte mir einen Ball aus dem Netz und schaute mich um. Die anderen Jungen jonglierten das Leder, als trainierten sie für einen Zirkusauftritt. Sie lupften die Kugel aus dem Stand in die Luft und fingen sie mit dem Nacken ganz sicher auf. Das konnte ich nicht. Ich fühlte mich wie Raban, der Held, so als hätte ich zwei falsche Füße. Ich bekam meine Straßenschuhe noch nicht einmal unter den Ball, und als ich es endlich schaffte, verfing sich das Leder in der Kapuze meines *Wilde Kerle*-Sweatshirts, die sich wie ein Schmetterlingsnetz über dem Rucksack aufgebauscht hatte.

»Hippelpott und Tamuskiste!«, fluchte ich und schüttelte mich wie ein Igel, dem ein Apfel auf den Stachelrücken gefallen war.

Ich versuchte den Ball mit meinen Händen zu packen, doch die Gurte des Rucksacks waren zu stramm. Ich kam nur mit den Fingerspitzen an ihn heran und das reichte nicht aus. Schottenmottenalptraumschrank! Schon begannen die anderen Jungen zu lachen und ich wünschte, ich wäre nicht hier. Ich wünschte mich zu meinen Freunden in den Wilden Wald. Doch dieser Wunsch ging nicht in Erfüllung. Nein, stattdessen kam der Trainer des *FC Bayern* und nahm mir den Ball aus der Kapuze heraus.

»Hey! Fabi, ganz ruhig!«, sagte er. »Jetzt zieh dich doch erst einmal um.«

Ich nickte, doch ich wusste nicht, was ich umziehen sollte. Mein Rucksack war weg. Ich wusste wirklich nicht, wo er war. So durcheinander war ich bereits. Da packte der Trainer die beiden Gurte und zog sie über meine Arme herab.

»Und den solltest du auch besser nicht tragen!«, lächelte er und hielt mir den Rucksack demonstrativ vor die Nase. »Die gekreuzten Totenkopfknochen machen den anderen Jungen echt Angst.«

Ich schaute ihn ungläubig an. Zwei Herzschläge lang war es still. Dann brach das Lachen aus den Jungen heraus.

Sie prusteten los und im ersten Moment hatte ich nur einen Gedanken: »Weg von hier! Fliehen! Ich will mich verstecken und hört endlich auf. Ich zieh den Schwanz ja schon vor euch ein!«

Ich sprintete los. Ein, zwei, drei Schritte trat ich an, das Gelächter wie einen Turboantrieb im Nacken.

»Guckt euch den an. Das ist Fabi, der schnellste Rechtsaußen der Welt!«, spotteten sie und hielten sich ihre Bäuche. »Ja, aber in Wirklichkeit heißt er ganz anders: Hänschen Hasenfuß hat ihn seine Mutter getauft!«

Da ging ein Ruck durch mich hindurch.

»Halt!«, befahl eine Stimme in meinem Kopf. »Das tust du nicht! Auf gar keinen Fall! Du bist Fabi Bau und du lässt dich nicht auf so eine billige Art und Weise hochnehmen. Das lässt du dir nicht gefallen, hörst du!«

Ja, und mit diesem Ruck richtete sich mein Rücken schlagartig auf, mein Kopf erhob sich von meinen Schultern und die wurden wieder ganz breit.

So ging ich ganz ruhig zum Spielfeldrand, hockte mich hin und zog, während das Gelächter doch tatsächlich verstummte, meine Fußballschuhe an. Die, die ich gestern erst, am Sonntag, auf meinem Zimmer für dieses Training eingefärbt hatte: Giftgrün mit knallorangen Streifen. Und das sage ich euch: Diese Schuhe schockten die *Bayern* jetzt wie zwei giftige Nattern, die sich in eine Mädchenschule verirrt hatten.

Raaah! Jetzt war die Reihe an mir. Mein unwiderstehliches Lächeln sprang mir ins Gesicht, und auch wenn ich beim folgenden Jonglieren noch der Schlechteste war, holte ich mit jeder Übung Schlag für Schlag auf. Ja, und beim abschließenden Spiel explodierte ich förmlich. Zum ersten Mal seit langer Zeit spielte ich ohne Leon. Ich konnte mich nicht wie sonst auf ihn verlassen und ich wuchs, wie der Scout es vorausgesagt hatte, mit jedem Ballkontakt über mich hinaus. Die *Bayern* staunten nicht schlecht. Von Hänschen Hasenfuß war nicht mehr die Rede. Ich war jetzt wieder Fabi, der schnellste Rechtsaußen der Welt. Der Wildeste unter Tausend. Ich zauberte Doppelpässe, stieß in den Raum, schickte den rotblauen Mittelstürmer mit Blitzpassvorlagen in den Strafraum hinein, schlug knallharte Flanken und katapultierte den Keeper zum Schluss, als wäre ich Maxi »Tippkick«, der Mann mit dem härtesten Schuss auf der Welt, aus spitzem, unmöglichem Winkel mit einem hasta-la-vista-bombastischen Torpedodampfhammer-Volley ins Netz.

Danach hieß mich der Trainer in der U 10 willkommen. Jeder der *Bayern* wollte meine giftgrünen Fußballschuhe berühren. Mein Kapuzensweatshirt und mein Rucksack mit den Piratentotenkopfknochen waren der Hit, und als die Jungs mein Fahrrad entdeckten, wurde ich endgültig von ihnen aufgenommen und akzeptiert. Die Speedway-Motorrad-Spikes übertrafen die teuersten und coolsten Mountainbikes, die die anderen Jungen besaßen. Der Verein hatte sie ihnen allen geschenkt. Doch während die *Bayern* ihre Fahrräder schoben, preschte ich mühelos über das Eis.

Der Kapitän der U 10, der, der mich zu Beginn des Trainings noch Hänschen Hasenfuß getauft hatte, schnalzte jetzt anerkennend mit der Zunge.

»Hey, Toni!«, rief er und meinte damit unseren Trainer. »Ich warne dich, hörst du? Wirf mich ja nicht aus der Mannschaft raus. Ich werde dann nämlich so was wie Fabi: ein *Wilder Kerl*! Und dann haben die *Bayern* nichts mehr zu lachen. Das verspreche ich dir!«

Der Trainer sah ihn überrascht an. Dann musste er lachen. Die anderen Jungs fielen in sein Lachen mit ein und am Ende lachte auch ich.

»Wir sehen uns morgen!«, rief ich begeistert, trat in die Pedale und fuhr arglos vom Gelände der *Bayern* hinunter in den nächtlichen Nebel hinein.

# Nebeljäger

Mir ging es gut. Nein, was erzähl ich euch da? Ich fühlte mich einfach fantastisch. Und wenn ich geglaubt hatte, dass vorgestern, Samstag, mein Tag gewesen war, dann hatte ich mich ganz schwer geirrt. Heute war der Tag meines Lebens! Heute hatte ich das erreicht, von dem fast jeder Junge in Deutschland, der Fußball spielt, träumt. Ab heute durfte ich beim *FC Bayern* spielen. Heiliger Muckefuck! Ich rutschte in Schlangenlinien über das Eis. Ich reizte die Speedway-Motorrad-Spikes bis zum Gehtnichtmehr aus. So glücklich war ich und die Straßenlaternen sprangen und tanzten im Nebel wie gleißende Feuerbälle über mich und mein Fahrrad hinweg.

Da hörte ich ein Kratzen und Schaben. Ich hörte es erst, als es schon ganz nah und laut war. Ein schemenhafter Schatten huschte an mir vorbei. Das Sirren einer Schleuder zerschnitt die Luft und im selben Augenblick traf mich ein Geschoss an der Wange. Ich stieg in die Bremsen. Ich schaute mich atemlos um, doch ich konnte überhaupt nichts entdecken. Auch das Kratzen und Schaben verstummte, als würde es vom Nebel verschluckt. Dann war es still.

Vorsichtig befühlte ich mein Gesicht. Es war alles in Ordnung. Verflixt! Was war da gerade passiert? Da sah ich die Papierkugel auf dem Asphalt. Sie lag direkt vor meinen Füßen und zögernd, ganz widerwillig hob ich sie auf. Ja, ich hielt die Luft an und mein Herz stand für drei Schläge still. Ich wusste jetzt, wer der Schatten gewesen war, und ich wusste, diese Papierkugel war eine Botschaft für mich. Sie bestand aus kariertem Papier. Ihr wisst, was ich meine, habe ich Recht? Auch Maxi hatte so einen Zettel bekommen. Am Anfang des Höllentrips. In der Horrorgruselnacht, in der wir selbst den Dicken Michi auf ihn gehetzt hatten. Aber damals hatten wir das nur gespielt. Damals ging es darum, dass Maxi seine Stimme und seinen Trippel-M.-S. wiederbekam. Doch jetzt war es tödlicher Ernst. Noch bevor ich das Papier ganz entfaltet hatte, sah ich den Schwarzen Punkt! Und dann hörte ich Leons Stimme. Sie war eiskalt.

»Los! Fahr um dein Leben!«

Ich spürte den Ruck. Es war so, als wenn ich ein Roboter wär und man mir die Energiezufuhr kappt. Ich zuckte ein einziges Mal. Dann konnte ich mich nicht mehr bewegen. »Was passiert jetzt?«, taumelte ein letzter Gedanke durch meinen Kopf wie durch eine riesige, dunkle Höhle. Dann hörte ich das Kratzen und Schaben auf dem verharschten Schnee und dem Eis. Es kam von überall her. Ich war auf allen Seiten umstellt. Nein! Eine Lücke gab es. Ich konnte es hören und sofort gab ich Gas.

Ich floh von der Straße hinein in den Park. Hier konnte ich meinen Verfolgern am besten entkommen. Das hoffte ich wenigstens.

Doch als ich nach rechts ausscheren wollte, jagte Julis und Joschkas Beiwagenfahrrad direkt auf mich zu. Mühelos flogen die beiden über den Schnee. Sie hatten sich Schaufelräder gebaut: aus Kindergarten-Sandkasteneimern und -förmchen. An beiden Seiten der Hinterachse gruben sie sich in den Schnee und wirbelten ihn wie eine Sturmwolke um sich herum in die Luft. Und dazwischen sah ich ihre Helme und Fahnen. Die schwarzen *Wilde Kerle*-Flaggen wehten wie Samurai-Fahnen über ihren Köpfen im Wind. Ich starrte sie an. Sie meinten es absolut ernst. Sie hatten ihre Kriegsbemalung für mich angelegt und im allerletzten Moment wich ich dem Monster-Mississippi-Schneedampfer aus.

Ich legte mich quer, zwang meine Spikes an ihr äußerstes Limit und schoss in einer 90-Grad-Kurve auf meinem linken Knie in den Nebel hinein. Doch auch dieser Weg war versperrt. Das Bäckerrad-Seifenkisten-Flakschiff von Jojo und Markus rauschte von rechts auf Kollisionskurs heran und es war so schnell wie noch nie. Jojo, der vorn im Seifenkisten-bob-Aufsatz lag, besaß seit gestern Pedale. Die drehte er mit den Händen neben dem Kopf und zusammen mit Markus im Sattel dahinter trieb er mit ihnen ein breites Gummiband an, das sich von der Vorderachse bis zum Hinterrad spannte.

Wie ein Motorschlitten jagten sie auf mich zu. Ich stieß mein Knie in den Schnee, wuchtete mein Fahrrad mit ganzer Kraft hoch und raste haarscharf an ihnen vorbei. So knapp, dass mir eine der *Wilde Kerle*-Fahnen dabei ins Gesicht schlug, als wollte sie mir eine Ohrfeige verpassen.

Ich floh aus dem Park. Ich suchte mein Heil in der Stadt, in den kleinen Straßen und Gassen zwischen den Häusern. Doch jede Kreuzung wurde von ihnen bewacht. An der ersten stand Deniz, die Lokomotive. Er hatte Schlittenkufen an die Hinterachsen-Skateboards seines Fahrrads gebaut und sie bis zum Boden gesenkt. Den Hinter- und

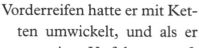

Vorderreifen hatte er mit Ketten umwickelt, und als er meine Verfolgung aufnahm, gruben sie sich wie Panzerketten hinter mir in den Schnee.

Zu ihm gesellten sich Maxi und danach Vanessa. Das Rasseln der Ketten an ihren Reifen und das Schlagen der *Wilde Kerle*-Fahnen im Wind jagte mich vor ihnen her durch die Stadt. An der letzten Kreuzung vor dem Isarhochufer, an der letzten Kreuzung, die für mich noch einen Fluchtweg freigeben konnte, wachte Raban, der Held. Er hatte seine Hinterradachse verlängert und riesige Zahnräder neben seinen ohnehin schon breiten Traktorhinterradreifen gesetzt. Ja, und so rostig wie diese Zahnräder waren, so traurig und mitleidig sah er mich jetzt durch seine Coca-Cola-Glas-Brille und die Motorradbrille, die er noch über ihr trug, an. Ich wusste sofort, Raban hätte mir zu gern geholfen, doch er konnte und durfte es nicht. Ich hatte das fünfte Gesetz unserer Satzung gebrochen:

›Wer die *Wilden Kerle* verlässt, der ist ein Verräter!‹

»Warum hast du das gemacht?«, fragte Raban. »Warum bist du zu den *Bayern* gegangen?«

Ich schaute ihn an. Ich war stehen geblieben. Ich hatte es gar nicht bemerkt. Als ob ich gar nicht gejagt werden würde, stand ich mitten auf der Kreuzung und sah Raban an. Doch bevor ich ihm antworten konnte, erklang Leons Stimme in meinem Rücken und die war eiskalt.

»Los! Fahr um dein Leben!«, rief er und in diesem Moment wusste ich, wohin die Jagd ging.

Ja, ich kannte den Ort. Dort war ich schon einmal gewesen. Im letzten Sommer. Kurz vor Ende der großen Ferien und der größten Blamage, die Leon je einstecken musste. Damals, vor dem Geburtstags-Fußballturnier, hatten wir Vanessa in den Bombentrichter gehetzt.

# Im Bombentrichter

»Los! Fahr um dein Leben!«, hallte mir Leons Stimme im Ohr und ich trat in meine Pedale. Ich sprang von der Straße und sauste die Uferböschung hinab. Bloß nicht in den Bombentrichter! Das war eine Falle! Eine Schlucht im Isarhochufer! Aus der kam niemand heraus! Nein, ich musste über den Fluss. Das war meine einzige Chance. Die Isar war zugefroren und mit meinen Speedway-Motorrad-Spikes konnte ich diesen Weg mühelos schaffen. Mit Vollgas raste ich auf die weiße, milchige Fläche hinaus, die sich mit dem Nebel darüber vermischte. Ich flog wie durch Wolken hindurch und schon glaubte ich den ersten Baum am gegenüberliegenden Ufer zu sehen. Doch das war kein Baum. Das war der Mast eines Segels, eines nachtschwarzen Segels, und das bauschte sich jetzt mit einem Schlag auf:

DUMPF!

Das Segel von Felix' Windsurferfahrrad fing sofort Wind und dann glitt der Wirbelwind nicht

mehr auf Rädern, sondern auf Schlittschuhkufen, die er an die Achsen montiert hatte, pfeilschnell auf mich zu.

Ich riss mein Fahrrad zu Boden. Was anderes blieb mir nicht übrig. Bremsen war auf dem Flusseis unmöglich. Ich warf mich flach auf den Boden, und während meine Hände den Lenker festhielten, presste ich meine Füße gegen das Eis. So bremste ich ab und so segelte Felix an mir vorbei. Dann sprang ich zurück in den Sattel und raste in die Richtung des jenseitigen Ufers davon. Das hoffte ich jedenfalls, denn ich wusste nicht mehr, wo ich war. In dem Weiß aus Nebel und Eis hatte ich die Orientierung verloren. Ja, und bevor ich sie wiederfand, erklang ein Brummen direkt hinter mir. Ein Brummen wie von einer gigantischen Hornisse oder einem lebensgroßen Gummi-Motorhubschraubermodell.

»Heiliger Muckefuck!«, dachte ich und gab Gas. Doch ich konnte dem Brummen nicht mehr entkommen. Es holte von rechts hinten immer mehr auf und zwei Herzschläge später schälte sich Rocce neben mir aus dem Nebel. Er lenkte sein Vierrad-Strandbuggy-Propellerfahrrad an meine Seite.

Ja, ihr habt richtig gehört. Rocces Fahrrad besaß jetzt einen Propeller. Im Rücken des Zauberers drehte er sich von den Fahrradpedalen getrieben und mit seiner Hilfe hielt der Brasilianer mühelos mit mir Schritt.

Rocce musterte mich. Durch seine Sonnenbrille sah er mir direkt in die Augen.

»Warum?«, fragte er mich.

Doch so ernst diese Frage gemeint war, so wenig war er bereit mich zu verstehen. Nein, Rocce würde mich niemals verstehen. Er, der Fußballcrack, der Begabteste von uns allen, er hatte die *Bayern* wegen der *Wilden Kerle* verlassen. Für ihn waren *wir*, nicht sie, die beste Mannschaft der Welt.

»Warum?«, fragte Rocce noch mal und ich war kurz davor, etwas zu sagen, da kratzten Kufen hinter mir über das Eis.

Felix wendete ganz hart am Wind. Verflixt! Er kam von links hinten direkt auf mich zu. Rocce war rechts. Gleich nahmen sie mich in die Zange! Ich musste was tun. Ich stellte mich in die Pedale. Ich trat blitzschnell an und dann legte ich mich ein letztes Mal quer auf mein Knie. In einer riesigen 120-Grad-Kurve entwischte ich ihnen nach links, kam kurz vor der Uferböschung wieder auf zwei Rädern zu stehen und schoss über den Erdwall hinweg. Ich flog durch die Luft, und anstatt auf dem jenseitigen, rettenden Ufer zu landen flog ich fünf Meter tiefer in den Bombentrichter hinein.

Ich saß in der Falle!

Und als wollte der liebe Gott mir noch zeigen, wie fest und tief ich jetzt im Dreck steckte, ließ er den Nebel aufreißen. Ein bisschen zumindest. Gerade so viel, dass ich ganz genau sah, wo ich war. Echt-schäbige-Rüsselsau! Das sage ich euch. Da passte Rabans Schimpfwort genau. Wie die Faust in den Quark oder die Sülze in den Ventilator. Der Bombentrichter war ein Ex-Mountainbike-Sprungschanzengelände. Ex, weil viel zu gefährlich und nach zwei Unfällen strengstens gesperrt. Hier rührte man sich besser keinen Millimeter vom Fleck. Ja, das rate ich euch, auch wenn ich dabei so klinge wie eure Mutter! Aber ihr seid nicht hier! Ihr steht nicht auf einem Boden, der sich unter euch wellt, als hätte er Beulenpest! Um euch herum strecken sich keine Baumstümpfe wie Zombiefinger aus diesen Beulen heraus und auf dem Kraterrand hoch über euch erscheinen nicht die Segel, Fahnen und Helme eurer Verfolger. Nein, ihr sitzt nicht in der Falle und ihr werdet auch nicht gerade von allen Seiten umstellt.

Heiliger Muckefuck! Und dann erschienen Leon und Marlon. Als Letzte und direkt über mir, zwischen zwei mächtigen, knorrigen Buchen. Sie waren die Sieger. Sie hatten die Jagd geplant. Sie waren die Führer der Nebeljäger und so unbarmherzig starrten sie jetzt auf mich herab. Das Einzige was ich hörte, war das Schlagen der *Wilde Kerle*-Fahnen im Wind.

Dompf! DOMPF! DODOMPF!

Wie Hammerschläge trieb es mich in den Beulenpestboden hinein. Ich war mir sicher, ich würde in ihm versinken, und ich wünschte es mir. Hippelpott und Tamuskiste! Aber ich war Fabi Bau! Ich war der Wildeste unter Tausend, der schnellste Rechtsaußen der Welt. Ich war Topspieler geworden, ja, und ab heute war ich auch ein Spieler der besten Fußballmannschaft der Stadt: des *FC Bayern*. Deshalb richtete ich mich noch einmal auf. Ich würgte eine ganze Frühlingskrötenwanderung aus meinem Hals und schrie zu Leon und Marlon hinauf: »Worauf wartet ihr noch? Los, kommt! Seid nicht so feige. Kommt endlich runter zu mir! Tut das, was ihr tun müsst!«

Ich ballte die Fäuste. Ich hielt die Luft an. Das Schlagen der *Wilde Kerle*-Fahnen verstummte und das Pochen in meinem Kopf hörte mit einem Schlag auf. Felix' schwarzes Windsurfer-Eiskufen-Fahrradsegel flatterte lautlos im Wind. Es war so, als hätte jemand den Ton vom Fernsehapparat ausgedreht und ließe den Film jetzt in Zeitlupe laufen. Leon und Marlon sahen sich noch nicht einmal an. Sie kippten nur jeder zwei Hebel an ihren Rädern und mit einem ganz kurzen Ruck hoben sie sich zehn Zentimeter vom Boden ab. Wie Raubkatzen kurz vor dem Sprung. Dann stürzten sie sich zu mir in die Tiefe, sausten an der steilsten Stelle des Kraterrandes herab und wichen jedem Zombiefinger mühelos aus. Fünf Meter vor mir rissen sie ihre Räder herum, rutschten in einer Schneefontäne quer auf mich zu und kamen keine zwei Meter von mir entfernt in den Stand. Erst jetzt erkannte ich die Ski, die Fun-Carver, die sie mit den Hebeln und einer gigantisch wilden Konstruktion aus Wäscheleinen, Einmachgummizügen und Spiralfedern unter ihre Fahrradräder geklappt hatten, doch ich konnte darüber nicht staunen. Ich sah direkt in Leons Gesicht.

Der stand da und musterte mich. Er sagte kein Wort. Er fragte auch nicht nach dem Warum, so wie Raban und Rocce. Er raunte auch nicht: ›Fabi, wir zählen auf dich!‹, so wie er es bei Juli getan hatte, bevor der zum Dicken Michi überlief. Nein, er stand einfach nur da. Ich war aus freien Stücken gegangen. Ganz freiwillig und ohne Zwang hatte ich gegen Punkt fünf der Satzung verstoßen. Ich hatte die *Wilden Kerle* verraten und ich war auch nicht mehr sein Freund.

»Marlon!«, sagte er nur.

Die Nummer 10, das Herz und die Seele unseres Teams, stieg aus dem Sattel und kam auf mich zu.

»Fabi. Ich hoffe, du machst keine Schwierigkeiten!«

Ich schluckte. Dann nickte ich und dann nahm ich den Rucksack mit den gekreuzten Knochen vom Rücken. Ich schüttete den Inhalt auf dem Boden aus und überreichte Marlon die Hülle. Ich zog die *Wilde Kerle*-Kappe vom Kopf und hielt sie ihm zusammen mit dem Kapuzensweatshirt unter die Nase.

»Hier!«, zischte ich, doch Marlon war noch nicht zufrieden.

»Das Trikot, Fabi!«, bat er mich freundlich.

Heiliger Muckefuck! Das hatte ich ganz vergessen. Ich lief rot an. Das Trikot trug ich jeden Tag. Es war für mich eine zweite Haut und so weh tat es jetzt, als ich es auszog. Es war, als würde ich bei lebendigem Leib gehäutet. Ich wollte schreien, doch ich konnte es nicht. Der Ton des Fernsehapparats war ausgestellt.

»Danke!«, sagte Marlon.

Dann ging er um mich herum. Nur noch mit Unterhose und Schuhen bekleidet stand ich im Schnee. Doch das interessierte ihn nicht. Er bückte sich und griff nach der Papierrolle, die auf dem Boden lag. Ich hatte sie mit dem restlichen Inhalt aus dem Rucksack geschüttet, aber verflixt, ich hatte sie dort nicht hineingetan. Wisst ihr, das war mein Piratenschatzkarten-Spielervertrag! Das wertvollste Stück, das ich besaß. Er war mein ganzes bisheriges Leben. Und aus diesem Grund hatte ich ihn auch heute Morgen in der Schule behalten. Das wusste ich jetzt!

Aber meine Mutter wusste das anscheinend nicht. Sie hatte mir den Spielervertrag in den Rucksack gesteckt. Heimlich! Ja, heimlich! Das sage ich euch: Sie hatte den Braten gerochen. Sie hatte gewusst, dass ich zu feige war, um den *Wilden Kerlen* die Wahrheit zu sagen.

»Aber, hörst du, du darfst nichts heimlich machen!«, erklang ihre Stimme in meinem Kopf. »Wenn du Abmachungen brichst, musst du es den anderen sagen. Unbedingt musst du das. Sonst werden sie dir das niemals verzeihen.«

Ja, und sie hatte Recht.

Marlon hob den Piratenschatzkarten-Spieler-vertrag vom Boden auf, entrollte ihn und reichte ihn Leon.

»Leon, bitte nicht!«, flüsterte ich, doch Leon zögerte keinen Moment. Sein Blick tötete mich und er zerriss den Vertrag.

»Du bist kein *Wilder Kerl* mehr, Fabi«, sagte er. »Wir haben dich für immer verbannt.«

Dann legte er den Hebel nach vorn. Die Fun-Carver sprangen auf die Höhe der Fahrradachse zurück. Die Ketten- und Spike-bewährten Reifen schlugen aufs Eis. Marlon sprang in den Sattel. Sie traten in die Pedale, und während Leons Hinter-reifen die Schnipsel meines zerrissenen Spielerver-trags in alle Himmelsrichtungen verstreute, schos-sen Marlon und Leon den Hügel hinauf.

Erst jetzt hörte die Zeitlupe auf. Der Ton kehrte langsam wieder zurück und dann traf mich ein Kleiderbündel direkt vor den Kopf. Eine Jogging-hose und ein T-Shirt in schrecklich leuchtendem Buntstiftrotblau. Eine Verhöhnung der Farben der *Bayern*.

»Hier, Fabi! Damit du nicht erfrierst!«, rief Juli »Huckleberry« Fort Knox und nur einen halben Herzschlag danach waren die *Wilden Fußballkerle* verschwunden.

# Nirgendwo

Den nächsten Tag in der Schule muss ich euch bestimmt nicht beschreiben. Ich fühlte mich wie auf einer Faschingsparty, für die sich alle meine Freunde als Indianer verkleidet hatten. Nur ich war als Kaninchen gekommen, mit rosa Fell und einem weißen Bommel am Hintern. Aber nein, das war nicht wahr. Das wär ja nur peinlich gewesen. In Wirklichkeit war ich für die anderen tot. Ich gehörte nicht mehr dazu. Sie hatten mich für immer und ewig verbannt. Sie grüßten mich noch nicht einmal mehr und der Platz neben Leon im Klassenzimmer gehörte jetzt Raban. In der Pause spielten sie alle Eishockeyfußball. In Nachtschwarz, in ihren *Wilde Fußballkerle*-Klamotten, und ich stand in Jeans und Jacke daneben. Niemand dachte daran, mich zu fragen, ob ich vielleicht mitspielen wollte. Nein. Heiliger Muckefuck! Es war für immer vorbei und das Einzige, was mich das aushalten ließ, war meine Freude aufs Training. Das Training beim *FC Bayern*.

Punkt 15 Uhr 50 fuhr ich von zu Hause los. Doch als ich den Kunstrasenplatz in der Säbener Straße erreichte, trainierte dort eine Mädchenmannschaft. Hatschi-Rizinus-Uups.

Vielleicht war ich heute zu früh dran? Vielleicht trainierten die Jungs ja später? Deshalb setzte ich mich auf die kleine, dreistufige Tribüne aus Stein. Ich hatte sowieso nichts Besseres vor. Ich wartete und wartete und um 17 Uhr 30 setzte sich Toni zu mir, mein neuer Trainer.

»Hey, Fabi! Was machst du denn hier?«

»Ich wollte trainieren!«

»Oh, das tut mir Leid. Aber wir trainieren nur dreimal in der Woche. Montags, mittwochs und freitags.«

Ich schaute ihn überrascht an: »Und das reicht euch aus? Ich meine, am Sonntag ist die Hallen-Stadtmeisterschaft.«

»Ich weiß«, schmunzelte Toni. »Und ich glaube, dass wir sie trotzdem gewinnen.«

»Heiliger Muckefuck!«, staunte ich.

Das war echt cool. So überzeugt von uns waren wir niemals gewesen. Ich dachte an die Gesichter der *Wilden Kerle*. Wie würden die gucken, wenn ich über ihnen auf dem Treppchen stand. Wenn ich, und nicht sie, die Stadtmeisterschaft am Sonntag gewann.

»Bist du dir sicher?«, fragte ich ungläubig nach.

»Ich bin sogar fest davon überzeugt!«, lächelte Toni. »Auch wenn wir ohne den schnellsten Rechtsaußen der Welt spielen werden.«

»Wie bitte?«, rief ich und sprang entsetzt auf. »Was meinst du damit? Ich dachte, ich gehöre dazu!«

»Das tust du auch!«, antwortete Toni jetzt ernst. »Aber nur, wenn du die drei Wochen Probezeit bei uns bestehst. Hat dir das keiner gesagt? Das sind hier die Regeln.«

Ich schüttelte den Kopf. Mir wurde schwindelig. Der Boden begann Wellen zu schlagen. Das Hallenturnier würde ohne mich laufen, und wenn ich die Probezeit nicht bestand, dann hatte ich überhaupt keine Mannschaft mehr.

»Hey, Fabi!« Toni stand auf und klopfte mir auf die Schultern. »Es ist schon in Ordnung. Du bist verflixt gut. So gut, dass ich froh bin, dass du auch nicht bei den *Wilden Fußballkerlen* mitspielen wirst. Glaub mir, das mein ich absolut ernst. Die sind nämlich eine verflixt hartnäckige Konkurrenz.«

»Und wenn ich das tue?«, blitzte ich ihn jetzt an. »Hab ich die Probezeit dann vergeigt?«

Toni musterte mich. Ich sah das Funkeln in seinen Augen, doch er war nicht böse auf mich. Mein Mut schien ihm sogar zu imponieren.

»Wenn du das tun solltest, würde ich sofort ein Zusatztraining anordnen«, grinste er.

»Nein. Das will ich nicht wissen! Was ist mit der Probezeit?«, bestand ich auf einer Antwort, doch Toni gab sie mir nicht.

»Wieso fragst du mich das, wenn du es sowieso nicht tun kannst!«, fragte er trocken und streng. »Ich kann deinen Rucksack nicht sehen. Den mit den gekreuzten Totenkopfknochen. Und auch dein Sweatshirt trägst du nicht mehr. Na, was ist?«

Ich blitzte ihn an, doch er hielt meinem Blick mühelos stand.

»Weißt du, Fabi«, seufzte er. »So durcheinander wie du heute bist, kann ich dich in meinem Team nicht gebrauchen.«

Ich zuckte zusammen. Ich wollte meine Fingernägel abkauen, doch an denen war längst nichts mehr dran. Da legte er seine Hände auf meine Schulter.

»Aber ich hoffe, du bringst das in Ordnung. Ich hoff das für dich, für mich und auch für die *Bayern*! Hey, Fabi! Schau mich an!«

Ich hob meinen Kopf. Ganz vorsichtig schaute ich ihm in die Augen und da konnte ich es doch nochmal sehen: dieses Funkeln. Es war das Funkeln, das auch Willi besaß, das Funkeln der besten

Trainer der Welt. Das Funkeln, das einem den Mut wiedergab.

»So, und jetzt ab nach Hause mit dir«, sagte er, drehte sich um und ging weg. »Aber vergiss nicht: Die Probezeit dauert nur noch zweieinhalb Wochen.«

# Die Hallen-Stadtmeisterschaft

»Und ich hoffe, du bringst das in Ordnung!« Die ganze Woche dachte ich über diesen Satz nach. Obwohl meine Probezeit lief, schwänzte ich sogar das Training. Zuerst am Mittwoch und dann am Donnerstag. Ja, heiliger Muckefuck! Toni ließ doch tatsächlich am Donnerstag trainieren. Er rief sogar extra deshalb bei uns an. Aber ich ging auch am Freitag nicht in die Säberner Straße. Was sollte ich da? So durcheinander wie ich jetzt war, konnte er mich gar nicht gebrauchen. So kam ich selbst nicht mit mir klar. Ich wurde immer gereizter und am Samstagmorgen machte meine Mutter einen so großen Bogen um mich, dass sie mir das Frühstück vor die Zimmertür stellte.

Ich stand am Fenster und beobachtete, wie die *Wilden Kerle* Juli und Joschka abholten. Sie trugen wieder die Helme. Ihre Fahnen flatterten nachtschwarz im Wind und dann setzte sich die Flotte der wildesten Räder der Welt in Bewegung, um die Hallen-Stadtmeisterschaft zu gewinnen.

Die war das größte Turnier der Saison. Zwei ganze Tage würde es dauern. Heute, am Samstag, fand die Vorrunde statt. Die 20 besten Mannschaften von München spielten in vier Gruppen gegeneinander und nur die ersten zwei jeder Gruppe setzten sich durch. Nur die besten acht würden morgen, am Sonntag, noch mal in zwei Gruppen antreten. Und der Sieger von ihnen würde der Hallen-Stadtmeister sein.

Ich wusste über alles Bescheid. Toni, der Hund, hatte mir per Post einen Spielplan zugeschickt, auf dem alle Begegnungen und Uhrzeiten standen. Den ganzen Tag lief ich durchs Zimmer und fieberte mit. Ja, um die *Bayern* machte ich mir überhaupt keine Sorgen. Die spielten konkurrenzlos in der Gruppe 1. Auch die *Münchener Löwen* würden sich qualifizieren. Aber die *Wilden Kerle* waren kein Favorit. Sie mussten sich gegen *Unterhaching* und gegen den *FC Sportfreunde* durchsetzen. Ja, und auch *Pullach* und *Moosach* waren verflixt noch mal stark. Bei jedem der zehnminütigen Spiele schloss ich die Augen, und als es dunkel wurde, stand ich vor dem Fenster und rührte mich nicht mehr vom Fleck. Ich wartete auf die Rückkehr meiner ehemaligen Freunde, doch als Joschka und Juli endlich erschienen, sah man ihnen weder Sieg noch Niederlage an. Völlig erschöpft schoben sie ihr

Mississippi-Schneedampfer-Beiwagenfahrrad die Einfahrt zur Garage hinauf und verschwanden, als sie mich am Fenster entdeckten, sofort im Haus.

Da hielt ich es nicht mehr aus. Ich zog mich an, rannte aus dem Haus, sprang auf mein Fahrrad, fuhr in die Hubertusstraße und warf einen Stein gegen Leons Fenster, um den ein Zettel gewickelt war.

»Bann hin oder her. Ich muss dich sehen!«

Das stand drauf, und ohne auf eine Antwort zu warten gab ich sofort wieder

Bann
hin oder her.
Ich muss dich
sehen!

Gas. Ich raste durch die Straßen, sprang über die Schranke in den Finsterwald, jagte durch die alte Ruine und den Brennnesselgraben hindurch in die Steppe hinein und dort hielt ich erst hinter den Graffiti-Burgen und dem Wall mit den Strommasten vor dem flachen Schneeiglu an.

## Ich bin kein Verräter

Ich hielt vor dem Iglu und schaute mich um. Ich stand mutterseelenallein in der Steppe. Um die Graffiti-Burgen herum jaulte ein gespenstischer Wind und zum ersten Mal seit meinem Aufbruch spürte ich Angst. Heiliger Muckefuck! Was machte ich hier?

Da sah ich den alten *Schnapsnasen-Karl* in seiner zerbrochenen Flasche. Er lag auf dem Rücken, streckte alle viere von sich und benutzte seinen Schwanz als Schnuller. Hatschi-Rizinus-Uups. Wenn sich diese Ratte hier so sicher fühlte, dann hatte ich auch keine Angst. Ich stieg vom Fahrrad und ging auf den Iglu zu, um die Schneekugel vom Eingang wegzuräumen. Da schrie der *Schnapsnasen-Karl* hinter mir auf. Ich fuhr herum und konnte gerade noch sehen, wie er entsetzt aufsprang, mit dem Kopf gegen die Flaschendecke dotzte und nach einem verzweifelten Schluckauf-»Hicks« weiterschlief.

Ich atmete durch. Der Kerl hatte geträumt. Ja,

ganz bestimmt hatte er das, da hörte ich hinter mir ein boshaftes, wütendes, zorniges und überhaupt nicht nach Rattentraum klingendes Fauchen. Ich drehte mich um, ganz langsam und vorsichtig tat ich das, und schaute ihm direkt in die glühenden Augen – ihm, der Ratte der Ratten: dem *Alten Fritz*.

Echt-schäbige-Rüsselsau! Der Kerl stand genau zwischen dem Iglu und mir. Er führte sich auf wie ein bengalischer Tiger, und als ich nur einen Moment daran zweifelte, als ich einen kleinen Schritt auf ihn zuging, peitschte er mit dem Schwanz. Einmal ganz kurz und mit dem nächsten Augenaufschlag erschien seine Armee: unzählige Ratten und jede von ihnen so groß, als hätte sie gerade erst eine Katze verschluckt.

Heiliger Muckefuck! Jetzt hatte ich nichts mehr gegen eine Flucht einzuwenden. Doch jeden Schritt, den ich zurückwich, setzte der *Alte Fritz* nach. Nein! Ich würde hier niemals lebend rauskommen! Da erschien Leon neben mir. Urplötzlich war er da, ging auf den *Alten Fritz* zu und warf ein halbes Käserad über ihn hinweg, direkt vor die Schnauzen seiner Armee. Die konnten so einem Angebot nicht widerstehen. Sie stürzten sich auf die Beute und der *Alte Fritz* sprang wütend dazu. Er wollte auf keinen Fall zu kurz kommen, und während der Käse in einem Knäuel aus kämpfenden und beißenden Ratten verschwand, drehte sich Leon zu mir um.

»Das war ganz schön teuer!«, sagte er.

»Dann werd ich den Käse bezahlen«, erwiderte ich.

»Okay! Abgemacht!«, nickte Leon. »Aber deshalb bist du nicht hier.«

»Nein«, gab ich zu. »Ich will morgen zusammen mit euch auf der Hallen-Stadtmeisterschaft spielen.«

»Heißt das, du kommst wieder zurück?«, fragte Leon und schaute mich argwöhnisch an.

»Nein«, antwortete ich. »Ich will nur nicht, dass der Bombentrichter mein letzter Tag als *Wilder Kerl* war.«

»Aber du bist ein Verräter!«, gab Leon eiskalt zurück.

»Ja, laut unserer Satzung. Aber so was kommt vor. Leon, ich musste das tun! Ich konnte nicht anders.«

»Warum?«, fragte er.

»Willst du das wirklich wissen?«, hielt ich dagegen.

Leon wollte schon nicken. Da zögerte er. Plötzlich wusste er: Jetzt wird es ernst. Er holte tief Luft.

»Okay!«, nickte er. »Schieß endlich los!«

Ich schluckte. Heiliger Muckefuck! Dann gab ich mir endlich den Ruck. So wie damals beim Sprung von der sechs Meter hohen Brücke in den Kanal vor dem Spiel gegen die *Bayern*.

»Ich geh«, sagte ich. »Ich geh, weil ich es immer schon wollte. Ich hab von den *Bayern* geträumt, verstehst du? Sie sind für mich *der* Verein, das, was für dich und Rocce die *Wilden Kerle* bedeuten. Ich hab es nur nicht gewusst.«

Ich machte eine Pause und schaute ihn an. Leon verzog keine Miene.

»Ja, und ich geh auch, um zu wachsen. Ich will besser werden, Leon, und vielleicht sogar besser als du.«

»Nur weil du bei den *Bayern* spielst, wirst du nicht besser«, zischte Leon und spuckte vor mir aus. Der Slalomdribbler hatte selbst Rocce, den Zauberer, im Spiel Mann gegen Mann immer besiegt.

»Da hast du Recht«, sagte ich. »Aber ich werd auch nicht besser, wenn es so bleibt. Leon, dann sind mir selbst die *Bayern* egal. Dann kann ich auf ihre Probezeit pfeifen und dann können sie mich von mir aus sofort hinauswerfen, wenn du mich morgen bei euch mitspielen lässt!«

»Aber warum willst du das dann?«, fragte Leon. »Das ist doch dein Team!«

»Ja, ich weiß, aber ich fühl mich ganz schlecht.

Ich bin durcheinander und ich vermisse dich. Leon, egal in was für einer Mannschaft ich spiele: du bleibst immer mein Freund.«

Leon schaute mich an. Er konnte nichts sagen.

»Bitte, Leon! Ich bin kein Verräter. Nur das ist es, was ich euch morgen beweisen will. Bitte, gib mir die Chance. So wie es jetzt ist, kann es nicht bleiben.«

»Das stimmt!«, brummte Leon und trat mit den Füßen ein Loch in den Schnee. »Wir haben heute schrecklich gespielt. Und zwar alle!«

»Aber ihr habt es geschafft? Ihr habt gewonnen?« Ich vergaß alles, was bisher passiert war. »Verflixt! Sag's schon! Seid ihr weitergekommen?«

»Ja. Wir haben *Unterhaching* geschlagen. In letzter Sekunde haben wir das. Aber bitte frag mich nicht wie«, brummte er und dann sah er mich an. »Okay. Mach dich für morgen bereit. Wir starten um acht vor Julis Haus. Ich werd mit den anderen reden.«

»Ich danke dir!«, sagte ich, doch Leon bot mir längst die Hand zum High Five.

»Alles ist gut!«, sagte er.

»Ja, solange du wild bist!«, antwortete ich.

»Und ich noch besser bin als du!«, grinste er.

»Worauf du Gift nehmen kannst!«, lachte ich. »Aber vorher fliegen wir noch!«

Wir rollten die Kugel vom Iglu-Eingang, krochen gebückt durch den Gang und sprangen durch das Loch zum Hangar hinab. Die mit Luft gefüllten Müllsäcke platzten um uns herum, als wir auf der Matratze aufschlugen. Sie sprachen eine deutliche Sprache und sagten dem *Alten Fritz* und seinen Kumpanen, wem dieser Hangar gehört. Außerdem machte dieser Sprung Spaß, aber nicht so viel Spaß wie das, was jetzt folgte. Wir schalteten den Ventilator über uns ein und dann flogen wir in der P 51 Twin Mustang Seite an Seite wie in zwei vergoldeten Silberpfeilen direkt in den Sonnenuntergang. Und das mit 988 Sachen.

## Seite an Seite

Am nächsten Morgen stand ich um Punkt acht Uhr vor dem Haus. Die giftgrünen Fußballschuhe mit den orangen Streifen hingen um meinen Hals und die Schienbeinschoner steckten in meiner Jacke. In der linken und rechten Tasche. Mehr Fußballklamotten besaß ich nicht mehr. Alles andere hatten sie mir im Bombentrichter genommen und jetzt diskutierten sie heftig, ob sie es mir noch ein einziges Mal für heute, den entscheidenden Tag der Hallen-Stadtmeisterschaft, zurückgeben sollten. Sie, das waren die *Wilden Kerle*. Sie saßen schräg gegenüber auf der anderen Seite der Straße vor Julis und Joschkas Haus. Sie saßen auf ihren Rädern und konnten sich eine Ewigkeit lang nicht entscheiden. Doch die feindseligen Blicke, die sie mir zuwarfen, verwandelten sich. Sie wurden skeptisch und unentschlossen und dann lachten sie mich ganz plötzlich an. Leon löste sich aus der Gruppe und kam auf mich zu. Er hielt meinen nachtschwarzen Rucksack mit den gekreuzten Totenkopfknochen im Arm und warf ihn mir zu.

»Los! Komm endlich!«, rief er. »Wir sind schon viel zu spät dran!«

Ich lachte, zerrte das Kapuzensweatshirt aus dem Rucksack heraus und zog es über die Jacke. Ich stopfte die Fußballschuhe und Schienbeinschoner zum *Wilde Fußballkerle*-Trikot hinein und nur ein paar Sekunden nach Leons Aufforderung fuhr ich mitten im Pulk der *Wilde Kerle*-Flotte aus dem Fasanengarten hinaus.

Die Rudi-Sedlmayr-Halle, in der das Finale stattfand, war fünfmal so groß wie die Dreifach-Sporthalle von Grünwald und im Vergleich zur Hallen-Stadtmeisterschaft war die Qualifikation am Samstag zuvor eine Rentnerveranstaltung gewesen. Ja, hier tobte der Bär. So viele Menschen hatte ich noch nie auf einem Haufen gesehen, doch Willi beruhigte uns. Er schwor uns ein und was mich betraf, tat er so, als wäre in der letzten Woche gar nichts passiert und als würde ich auch in Zukunft und für immer und ewig zu den *Wilden Fußballkerlen* gehören. »Denkt an den Boxer«, machte Willi uns noch einmal Mut. »Angst ist okay. Aber schließt nicht die Augen vor ihr, habt ihr gehört? Schaut ihr ins Gesicht, guckt euch jeden der Spieler an, egal wo er spielt, ob bei den

*Löwen*, bei *Haching* oder den *Bayern*. Studiert ihn, merkt euch, ob er Rechts- oder Linksfüßer ist, worauf er sich konzentriert, was seine Stärken und Schwächen sind. Habt ihr kapiert? Glaubt mir, auf das, was ihr könnt, könnt ihr euch tausendprozentig verlassen. Das kommt von selbst. Ihr habt es immer wieder trainiert. Der Gegner verdient eure Aufmerksamkeit. Er ist das Neue, was ihr noch nicht kennt. Ihn müsst ihr schlagen! So, und jetzt ab mit euch!«

Mit diesen Worten schickte er uns in den Kampf, und auch wenn wir das erste Spiel gegen die *Löwen* verloren, begriffen wir Willi von Spiel zu Spiel mehr.

Aber das mussten wir auch. Es ging jetzt um alles. Wir mussten die noch ausstehenden zwei Gruppenspiele gewinnen, sonst war der zweite Platz nicht mehr drin. Den brauchten wir aber, um ins Halbfinale zu kommen, und *Taufkirchen*, der nächste Gegner, war stark. Die Partie stand auf Messers Schneide. Es waren nur noch sieben Sekunden zu spielen. Da stahl ich mich in den Rücken meines Gegenspielers, bekam Markus' Abstoß direkt auf den Fuß und verlängerte ihn dampfhammervolleyhart Richtung Strafraum, wo Deniz, die Lokomotive, ihn im letzten Augenblick mit einem Turboflugkopfball erwischte und un-

haltbar für den *Perlacher* Keeper im Tornetz versenkte.

Das dritte Spiel gegen *Neuried* war dann ein richtiger Spaß. Leon und ich zauberten Seite an Seite und schossen abwechselnd ein. Vier zu null hieß es am Ende und wir hatten dazu noch weiteres Glück. In der anderen Gruppe hatte *Unterhaching Bayern* besiegt. Sie waren Gruppenerster geworden und spielten deshalb im Halbfinale jetzt gegen uns. Doch die *Hachinger* hatten wir erst gestern geschlagen. Das hatte mir Leon erzählt und das wollten wir heute noch mal wiederholen.

Aber Fußball ist anders und das jeden Tag.

Schon nach zwei Minuten lagen wir drei zu null zurück. Da rief ich die *Wilden Kerle* zusammen. Ich rief sie zum Kreis und zum ersten Mal in unserer Geschichte schwor ich das Team ein:

»Alles ist gut!«, forderte ich.

»Solange du wild bist!«, gaben die anderen zurück.

»Wir sind wild!«, rief ich.

»Ja, gefährlich und wild!«, antworteten die *Wilden Fußballkerle* begeistert.

»Eins, zwei, drei!«, zählte ich und dann schrien wir alle ein ohrenbetäubendes: »RAAAH!«

Und das half. Das sag ich euch. Auch wenn die *Hachinger* über uns lachten und wir fast heiser waren. Nach drei Minuten unerbittlichem Kampf schoss ich zum Eins zu drei für uns ein. Dann folgte ein Ohrläppchenwuselnasenspitztor von Leon, ein knallhartes Abstaubertor von Felix, dem Wirbelwind, und dreißig Sekunden vor Schluss, als sich die *Hachinger* schon mit einem Elfmeterschießen abfanden, katapultierte ich uns mit einem hasta-la-vista-bombastischen Turbodampfhammervolley zum Vier-zu-drei-Sieg und ins Finale. Ja, und in dem ging es dann natürlich gegen die *Bayern*.

Die Halle war mucksmäuschenstill, als wir uns zum Anpfiff aufstellten. Toni, der Trainer der *Bayern*, sah mir direkt ins Gesicht und kein Anflug von Mimik verriet, ob er mir meinen Einsatz bei den *Wilden Kerlen* verzieh. Auch die anderen Spieler, die mich vom ersten Training her kannten, grüßten mich nicht. Ich schluckte. Das war verflixt hart. Vielleicht war meine Probezeit bei den *Bayern* jetzt schon vorbei. Aber das Risiko musste ich eingehen. Jetzt kam es drauf an. Jetzt musste ich meinen Freunden beweisen, dass ich kein Verräter war.

Seite an Seite stellten wir uns in der Mitte des Spielfeldes auf. Wir legten uns die Arme über die

Schultern und machten den Kreis. Unser Schrei zerriss die Stille. Das Publikum sprang unweigerlich auf, die Sirene übertönte das alles und dann ging es los.

Zehn Minuten rollte die rotblaue Übermacht gegen uns an. Wir hatten eigentlich überhaupt keine Chance. Unsere Mittel reichten nicht aus, um diesen Gegner zu schlagen. Wir hatten nur unseren Willen, die Hoffnung und das, was uns Willi beigebracht hatte: Ein Boxer schließt niemals die Augen. Angst ist okay, aber schaut ihr ins Gesicht! Und genau das machten wir jetzt. Wir stemmten uns gegen die Flut. Selbst Leon verteidigte wie ein Berserker, und obwohl wir so gut wie nie aus unserem Strafraum herauskamen, stand es nach zwölf Glanzparaden von Markus, dem Unbezwingbaren, sechzehn Rettungsaktionen von Juli »Huckleberry« Fort Knox, drei Einsätzen von Joschka, der siebten Kavallerie, und 25 Heldentaten einer absolut unerschrockenen und wilden Vanessa zehn Sekunden vor Schluss immer noch null zu null.

Da sah ich den Bayernkapitän. Er bekam Markus' Faustabwehr vor die Füße, zog ab und katapultierte das Leder an allen *Wilden Fußballkerlen* vorbei direkt in das untere kurze Eck. Die *Bayern* rissen die Hände schon in die Luft. Selbst Toni, der Trainer, sprang auf und dann sah er mir entsetzt in die Augen. Ja, ich lief auf die Torlinie zu, ich grätschte, streckte und reckte mich und kratzte die Kugel im letzten Moment aus dem Tor.

Die *Bayern* sackten zusammen, doch meine Freunde und Willi stürzten sich auf mich. Sie begruben mich unter ihrem Jubel und sie schrien mir immer wieder ins Ohr:

»Wir haben das Unmögliche geschafft!«

»Hey, Fabi! Wir haben nicht gegen die *Bayern* verloren!«

»Ja, und jetzt, beim Elfmeterschießen, ist alles drin!«

»Jetzt packen wir sie!«

Und davor, das glaube ich, hatten die *Bayern* jetzt Angst.


Die fünf Schützen, die sich auf ihrer Seite bereitmachten, sahen nicht mehr so aus, als wäre ihr Sieg schon gebucht.

Auch wenn der erste Schütze noch ganz sicher traf, kam Markus, der Unbezwingbare, bei jedem Schuss näher an das Leder heran und Marlon, die Nummer 10, Vanessa, die Unerschrockene, und Jojo, der mit der Sonne tanzt, verwandelten absolut sicher. Rocce, der Zauberer, schoss zum Vier zu vier ein und dann hielt Markus den letzten Elfer der *Bayern*. Jetzt lag alles an Leon. Er hatte sich vor mich gedrängt. Er wollte mir diese Verantwortung abnehmen. Was wäre, wenn ich verschoss? Dann würde niemand mehr glauben, dass ich kein Verräter war. Deshalb nahm er den Ball, legte ihn sich schnörkellos hin und lief ganz sicher an. Er täuschte, der Torwart tauchte in die falsche Ecke und der Ball flog in das linke obere Eck. Es war ein perfekter Elfmeter. Da prallte das Leder gegen den Innenpfosten kurz unter dem Winkel und, das werdet ihr einfach nicht glauben, sprang von dort wieder ins Spielfeld zurück.

Die *Bayern* sprangen vor Freude auf. Sie waren wieder im Spiel und wir mussten uns von diesem Schock erst einmal wieder erholen. Ja, und das im K.-o.-System. Ja, ihr habt richtig gehört. Jetzt ging es aufs Ganze. Der Erste, der verschoss, wenn die andere Mannschaft traf, hatte gewonnen und die *Bayern* fingen schon wieder an. Zum ersten Mal seit Spielende glaubten sie an den Sieg. Zu sehr glaubten sie jetzt daran, denn Markus ließ sich nicht foppen. Trotz aller Täuschungsmanöver des *Bayern* blieb er ganz ruhig. Er bluffte nur einen Sprung nach links an, und während die *Bayern* schon ihre Arme hochrissen, faustete er den knallhart auf Mann gezogenen Ball mit angewinkelten Armen einfach Richtung Schütze zurück.

Jetzt packte ich mir das Leder. Heiliger Muckefuck! Jetzt sollte mir niemand mehr die Verantwortung nehmen. Ich stieß Deniz, der auch schießen wollte, einfach aus dem Weg, lief in den Strafraum hinein und legte das Leder dort auf den Punkt.

Ich spürte die Blicke auf mir. Die meiner Freunde und die der *Bayern*. Doch das war mir egal. Ich musste dieses Tor machen. Dafür stand ich im Wort und deshalb ging ich jetzt die paar Schritte für den Anlauf zurück. Nur Toni, den Trainer der *Bayern*, schaute ich noch einmal an. Dann rannte ich los, und statt knallhart zu schießen schob ich

den Ball unerreichbar für den Keeper der *Bayern* ins rechte untere Eck.

Für einen Augenblick war es still. Dann brach der Jubel los. Wir, die *Wilden Fußballkerle,* und nicht die *Bayern,* hatten die Hallen-Stadtmeisterschaft gewonnen. Wir konnten und wollten es einfach nicht glauben!

Selbst als wir die Medaillen und den Pokal bei der Siegerehrung überreicht bekamen. Selbst als die *Bayern* uns gratulierten, glaubten wir es immer noch nicht. Doch, verflixt und zugenäht! Es war wahr! Auch wenn wir nicht die bessere Mannschaft waren. Wir hatten gesiegt, und als ich das endlich begriff, kam Toni, der Trainer der *Bayern,* zu mir.

»Ich gatulier dir!«, sagte er. »Aber nicht nur für diesen Sieg. Ich gratulier dir vor allem für deinen Mut. Dafür, dass du dich getraut hast heute zu spielen.«

»Danke!«, sagte ich. »Vielen Dank!«

Doch das war nicht das, was ich hören wollte. Ich sah ihn erwartungsvoll an. Aber Toni sagte kein Wort. Er ging einfach weg.

»Hey, Toni!« rief ich. »Was ist mit der Probezeit?«

Der Trainer der *Bayern* drehte sich überrascht um.

»Ach ja, die hast du bestanden!«, sagte er.

»Wie bitte? Was?«, lachte ich. »Du wirfst mich nicht raus?«

»Ich denk nicht dran!«, schmunzelte Toni. »Ich bin doch nicht blöd.«

Doch dann kratzte er sich plötzlich am Kopf und wurde ganz ernst.

»Aber an deiner Stelle würd ich's mir echt überlegen, ob du bei uns spielen willst. Mhm. Denk einfach mal darüber nach.«

Dann ließ er mich stehen. Ich aber feierte noch ziemlich lange mit den *Wilden Kerlen* und Willi. In der Geheimhalle im Wilden Wald veranstalteten wir eine richtige Siegesparty. Alle unsere Eltern waren dabei. Ja, und als ich nach Hause kam, trug ich nicht nur immer noch meinen Rucksack mit

den gekreuzten Totenkopfknochen darauf, sondern ich fand einen Brief. Er lag vor der Tür und war von Leon, an mich adressiert.

Ich hob ihn überrascht auf. Es war ein Din-A4-Umschlag und in ihm steckte mein wie ein tausendteiliges Puzzle mit Tesafilm zusammengeklebter Piratenschatzkarten-Spielervertrag.

## Die *Wilden Fußballkerle* stellen sich vor

**Leon**, der Slalomdribbler, Torjäger und Blitzpasstorvorbereiter

*Mittelstürmer*

Leon ist der Anführer der *Wilden Kerle*. Er schießt Tore wie einstmals Gerd Müller oder er bereitet sie in atemberaubenden Überraschungsblitzpässen vor. Spezialität: Fallrückzieher. Er hat vor nichts Angst und er will immer nur eins: gewinnen. Doch seine Loyalität zu den *Wilden Kerlen* und besonders zu Fabi, seinem besten Freund, ist noch stärker als sein Siegeswille.

**Fabi**, der schnellste Rechtsaußen der Welt

*Rechtsaußen*

Fabi ist Leons bester Freund. Zusammen sind sie die Goldenen Twins.

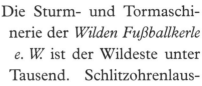

Die Sturm- und Tormaschinerie der *Wilden Fußballkerle e. W.* ist der Wildeste unter Tausend. Schlitzohrenlausbübischfrech mogelt er sich aus jeder Klemme heraus, weiß für jedes Problem eine Lösung und sein unwiderstehliches Lächeln schützt ihn dabei immer vor Strafen und Konsequenzen. Aber im Gegensatz zu Leon interessiert sich Fabi auch für andere Dinge. Er interessiert sich sogar schon für Mädchen und niemand weiß, wie lange er noch ein *Wilder Kerl* bleibt.

**Marlon**, die Nummer 10, die Intuition

*Mittelfeldregisseur*

Marlon, die Nummer 10, ist Leons ein Jahr älterer Bruder und für Leon ist er die Pest. Doch für die Mannschaft ist er das Herz, die Seele und die Intuition. Marlon spielt so unauffällig, als hätte er eine Tarnkappe auf, doch seine Übersicht ist so groß, als kreise sein Kopf wie ein Satellit über dem Feld. Ja, und auch außerhalb des Spielfeldes gibt es niemanden, der mehr Gespür für die Probleme seiner Freunde besitzt.

## Raban, der Held
*Ersatztorjäger*

Raban spielt Fußball wie ein Blinder, der Fotograf werden will. Er besitzt noch nicht einmal einen falschen Fuß. Denn wer einen falschen Fuß haben will, der muss auch einen richtigen haben. Die besten Schüsse gelingen ihm in der Halle: über fünf Banden durch Zufall ins Tor. Trotzdem ist der Junge mit der Coca-Cola-Glas-Brille und den knallroten Locken, die so oft von seinen drei Cousinen, den drei rosa Monstern, mit Lockenwicklern verunstaltet werden, einer der wichtigsten Kerle des Teams. Seine Freundschaft und seine Loyalität sind unübertroffen.

## Felix, der Wirbelwind
*Linksaußen*

Felix ist der perfekte Linksaußen. Er spielt seine Gegner schwindelig. Doch wenn Felix Asthma hat, dann ist er nichts. Das glaubt er zumindest, bis

er im Spiel gegen die *Bayern* seine Angst und seine Krankheit besiegt, die *Wilden Fußballkerle* mit Trikots, Logo, Satzung und echten Spielerverträgen in eine richtige Mannschaft verwandelt und dadurch selbst die Achtung von Giacomo Ribaldo gewinnt, dem brasilianischen Fußballstar der *Bayern*.

**Rocce**, der Zauberer
*Offensives Mittelfeld*

Rocce ist absolut cool.

Er zaubert den Ball dorthin, wo er ihn haben will. Er ist der Sohn eines brasilianischen Fußballstars der *Bayern*, doch obwohl er fast schon genauso gut spielt wie sein Vater, will er selbst nur in einem einzigen Team kicken: bei den *Wilden Fußballkerlen e.W.* Rocce ist Marlons bester Freund und er ist so abergläubisch, dass es kracht. Er glaubt noch an Geister und Hexen.

**Jojo**, der mit der Sonne tanzt
*Linksaußen*

Jojo kommt aus dem Waisenhaus. Dort ist er, weil seine Mutter keine Arbeit hat und weil sie zu viel trinkt. Doch obwohl Jojo noch nicht einmal Fußballschuhe besitzt und selbst im Winter in geflickten Sandalen spielt, ist der Linksaußen für die *Wilden Kerle* ein Freund, auf den sie niemals verzichten würden.

**Markus**, der Unbezwingbare
*Torwart*

Markus ist das Gegenteil von Jojo. Er wohnt in einem riesigen Haus mit Diener und Geld. Doch

obwohl er als Torwart ein Naturtalent ist, obwohl jeder, der gegen ihn trifft, für alle Zeiten im Guinnessbuch der Rekorde steht, schleicht sich Markus heimlich zum Training. Sein Vater hasst Fußball und will, dass er einmal ein Golfprofi wird.

**Juli** »Huckleberry« Fort Knox, die Viererkette in einer Person

*Verteidigung, letzter Mann*

Juli ist so gut in der Abwehr, dass seine Gegner glauben, dass er sich wirklich vervierfachen kann. Ansonsten lebt  er geheimnisvoll wie Huckleberry Finn und hat das dreistöckige Baumhaus der *Wilden Kerle* gebaut. Camelot ist die Vereinszentrale und die vor Geheimwaffen strotzende *Wilde Kerle*-Burg.

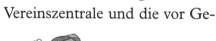

**Joschka**, die siebte Kavallerie

*Verteidigung, allerletzter Mann*

Joschka ist Julis sechsjähriger Bruder. Er ist eigentlich viel zu klein für das Team. Doch zusammen mit Socke, dem Hund, ist er ganz oft der Joker, die siebte Kavallerie. Den Ball trifft er nur selten, dafür besonders dann, wenn er in der letzten Millisekunde auf der Linie rettet.

**Vanessa**, die Unerschrockene

*Mittelfeld*

Vanessa ist das wildeste Mädchen diesseits des Finsterwalds. Sie trägt selbst in der Schule Fußballklamotten, aber ihre Torschüsse sind besonders dann unhaltbar, wenn sie ihre rosaroten Pumps trägt.

Sie will die erste Frau in der Männernationalmannschaft sein. Nach ihrem Umzug von Hamburg nach München hat sie sich nicht nur ihren Platz bei den *Wilden Fußballkerlen* erkämpft, sondern ist auch zusammen mit Leon und Fabi zu ihren Anführern geworden. Ja, und aus diesem Grund muss, solange es die *Wilden Kerle* gibt, die Männernationalmannschaft noch auf sie warten.

**Maxi** »Tippkick« Maximilian, der Mann mit dem härtesten Schuss auf der Welt
*Defensives Mittelfeld*

Maxi redet nicht. Selbst in der Schule oder am Telefon sagt er kein Wort. Er ist ein Mann der Tat und er besitzt den härtesten Bumms auf der Welt: den Trippel-M.-S., den Mega-Mörser-Monster-Schuss.

Für Maxi ist Fußball alles, doch wenn es um seine Freunde geht, dann opfert Maxi nicht nur seine Freiheit, dann nimmt er nicht nur wochenlangen Hausarrest und absolutes Fußballverbot in Kauf, sondern dann bricht er sogar sein Schweigen.

**Deniz**, die Lokomotive

*Stürmer, und zwar überall*

Deniz ist der Türke im Team. Jeden Tag fährt er durch die ganze Stadt, um bei den *Wilden Fußballkerlen* zu spielen. Bei ihnen hat er gelernt, dass er eine Brille braucht, dass er nicht allein auf sich gestellt ist und dass Freunde viel wichtiger sind als der persönliche Triumph.

**Willi**, der beste Trainer der Welt

*Trainer*

Willi lebt im Wohnwagen hinter dem Bolzplatzkiosk. Er wollte selbst einmal Fußballprofi werden, doch dann hat ihm der Vater des Dicken Michi das Knie ruiniert.

Jetzt trainiert er die *Wilden Fußballkerle.*

Er ist der beste und außergewöhn- lichste Trainer der Welt und deshalb hat er für die *Wilden Kerle* den Bolzplatz zum *Teufelstopf* umgebaut. Zum Hexenkessel der Hexenkessel, dem Stadion 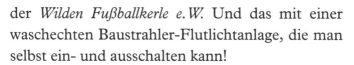 der *Wilden Fußballkerle e.W.* Und das mit einer waschechten Baustrahler-Flutlichtanlage, die man selbst ein- und ausschalten kann!

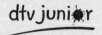

# Die Wilden Fußballkerle

© Jan Birck

# dtv juni●r

**Die drei ??? Kids**

**Panik im Paradies**

ISBN 3-423-**70809**-3
Ab 8

Im Zoo des alten Larson geschehen merkwürdige Dinge: Der sonst so zahme Nasenaffe fällt Bob an und ein sprechender Beo verschwindet aus seinem verschlossenen Käfig. Ist Sabotage im Spiel?

Justus, Peter und Bob trauen ihren Ohren nicht: Im Radio hören Sie einen Song, der nur von einem einmaligen Mitschnitt von Onkel Titus' Kassette stammen kann – und die wurde ihm kürzlich gestohlen …

**Die drei ??? Kids**

**Radio Rocky Beach**

ISBN 3-423-**70810**-7
Ab 8

# Sei wild!

 Maxi verliert plötzlich seinen härtesten Schuss auf der Welt.

**Maxi „Tippkick"
Maximilian**
ISBN 3-8315-0345-1
€ 8,90(D)/€ 9,20(A)
sFr 16,50

 Fabian wird von einem Talentscout entdeckt und erhält ein Angebot vom FC Bayern!

**Fabi, der schnellste
Rechtsaußen der Welt**
ISBN 3-8315-0346-X
€ 8,90(D)/€ 9,20(A)
sFr 16,50

 Ausgerechnet Joschka, der Kleinste, legt sich mit den gefährlichen Flammenmützen an.

**Joschka, die siebte
Kavallerie**
ISBN 3-8315-0347-8
€ 8,90 (D)/€ 9,20(A)
sFr 16,50

Die Wilden Fußballkerle wollen zur Kinder-Fußballweltmeisterschaft. Doch da bricht sich Marlon das Bein …

**Marlon,
die Nummer 10**
ISBN 3-8315-0348-6
€ 8,90 (D)/€ 9,20(A)
sFr 16,50

G u t e s    f ü r    K i n d e r

# Mehr Fußballkerle-Bücher

Jojo wird adoptiert und muss sich entscheiden, wohin er gehört.

**Jojo, der mit der Sonne tanzt**
ISBN 3-8315-0502-0
€ 8,90(D)/€ 9,20(A)
sFr 16,50

Rocce fragt Annika, ob sie bei den Wilden Kerlen mitspielen will – und die Mannschaft steht vor einer Zerreißprobe.

**Rocce, der Zauberer**
ISBN 3-8315-503-9
€ 8,90(D)/€ 9,20(A)
sFr 16,50

Eine andere Fußballmannschaft behauptet, wilder und gefährlicher zu sein, als die echten Wilden Fußballkerle!

**Markus, der Unbezwingbare**
ISBN 3-8339-3013-6
€ 8,90 (D)/€ 9,20(A)
sFr 16,50

Der Dicke Michi hat die Herrschaft im Wilde-Kerle-Land übernommen und sich zum König erklärt.

**Der Dicke Michi**
ISBN 3-8339-3170-1
€ 8,90 (D)/€ 9,20(A)
sFr 16,50

www.baumhaus-verlag.de

BAUMHAUS
VERLAG

# Wilde Fußballkerle –

**Leon,**
**der Slalomdribbler**
3 CDs
ISBN 3-8315-2066-6
2 MCs
ISBN 3-8315-2067-4

**Felix,**
**der Wirbelwind**
3 CDs
ISBN 3-8315-2068-2
2 MCs
ISBN 3-8315-2069-0

**Vanessa,**
**die Unerschrockene**
3 CDs
ISBN 3-8315-2070-4
2 MCs
ISBN 3-8315-2071-2

**Juli,**
**die Viererkette**
3 CDs
ISBN 3-8315-2072-0
2 MCs
ISBN 3-8315-2073-9

**Deniz,**
**die Lokomotive**
3 CDs
ISBN 3-8315-2074-7
2 MCs
ISBN 3-8315-2075-5

**Raban,**
**der Held**
3 CDs
ISBN 3-8315-2076-3
2 MCs
ISBN 3-8315-2077-1

G u t e s    f ü r    K i n d e r

BAUMHAUS VERLAG

# auch zum Hören!

**Maxi,**
**„Tippkick" Maximilian**
3 CDs
ISBN 3-8315-2102-6
2 MCs
ISBN 3-8315-2103-4

**Fabi,**
**der schnellste**
**Rechtsaußen der Welt**
3 CDs
ISBN 3-8315-2104-2
2 MCs
ISBN 3-8315-2105-0

**Joschka,**
**die siebte Kavallerie**
3 CDs
ISBN 3-8339-3316-X
2 MCs
ISBN 3-8339-3317-8

**Alle CD-Boxen**
€ 14,90(D)/€ 15,50(A)/sFr 28,20

**Alle MC-Boxen**
€ 9,90(D)/€ 10,30(A)/sFr 19,00

**Marlon,**
**die Nummer 10**
3 CDs
ISBN 3-8339-3318-6
2 MCs
ISBN 3-8339-3319-4

**Jojo, der**
**mit der Sonne tanzt**
3 CDs
ISBN 3-8339-3320-8
2 MCs
ISBN 3-8339-3321-6

**Rocce,**
**der Zauberer**
3 CDs
ISBN 3-8339-3322-4
2 MCs
ISBN 3-8339-3323-2

w w w . b a u m h a u s - v e r l a g . d e

# Wilde Kerle kicken im Kino

Postermappe mit Film-
fotos aus dem Wilde
Kerle 2-Film – zum
Rausnehmen und an
die Kinderzimmerwand
pinnen.

**Wilde Kerle 2 –
Das Posterbuch**
ca. 15 Din-A3 Poster
ISBN 3-8339-3156-6
€ 7,90 (D)/€ 8,20 (A)
sFr 15,30

Das Hörspiel
zum Kinofilm –
mit Original-
dialogen aus
dem Film,
erzählt von
Joschka, der
7. Kavallerie
und Raban,
dem Helden.

**Die Wilden Kerle 2 –
Das Hörspiel zum
Kinofilm**
Laufzeit ca. 70 Min.
1 CD, ISBN 3-8339-3482-4
€ 9,90 (D)/€ 10,30 (A)
sFr 19,00
1 MC, ISBN 3-8339-3483-2
€ 7,90 (D)/€ 8,20 (A)
sFr 15,30

G u t e s     f ü r     K i n d e r

# Coole Songs und Geschenke

Der Original-Sound-
track zum Kinofilm.
Mit Liedern der
Bananafishbones!

**Die Wilden Kerle 2 –
Der Soundtrack**
Laufzeit ca. 50 Min.
1 CD,
ISBN 3-8339-3484-0
€ 9,90 (D)/€ 10,30 (A)
sFr 19,00
1 MC,
ISBN 3-8339-3485-9
€ 7,90 (D)/€ 8,20 (A)
sFr 15,30

**Fußall im Netz**
Bestell-Nr. 5623
€ 19,90 (D)/
€ 20,60 (A)
sFr 36,70

**Fußallkerle-Cap**
Bestell-Nr. 5633
€ 14,90 (D)
€ 15,50 (A)
sFr 28,20

**Masannek, Piratentasse**
Bestell-Nr. 5622
€ 7,90 (D)
€ 8,20 (A)
sFr 15,30

www.baumhaus-verlag.de